Con la muerte
en los puños

Pedro Ángel Palou

Con la muerte en los puños

ALFAGUARA

CON LA MUERTE EN LOS PUÑOS
D. R. © Pedro Ángel Palou, 2002

De esta edición:
    D. R. © Aguilar, Altea, Taurus, Alfaguara, S. A. de C. V., 2002
    Av. Universidad 767, Col. del Valle
    México, 03100, D. F. Teléfono 54 20 75 30
    www.alfaguara.com.mx

• Distribuidora y Editora Aguilar, Altea, Taurus, Alfaguara, S. A.
    Calle 80 Núm. 10-23, Santafé de Bogotá, Colombia.
• Santillana S. A.
    Torrelaguna 60-28043, Madrid, España.
• Santillana S. A.
    Av. San Felipe 731, Lima, Perú.
• Editorial Santillana S. A.
    Av. Rómulo Gallegos, Edif. Zulia 1er. piso
    Boleita Nte., 1071, Caracas, Venezuela.
• Editorial Santillana Inc.
    P. O. Box 19-5462 Hato Rey, 00919, San Juan, Puerto Rico.
• Santillana Publishing Company Inc.
    2105 NW 86th Avenue, 33122, Miami, Fl., E. U. A.
• Ediciones Santillana S. A. (ROU)
    Constitución 1889, 11800, Montevideo, Uruguay.
• Aguilar, Altea, Taurus, Alfaguara, S.A.
    Beazley 3860, 1437, Buenos Aires, Argentina.
• Aguilar Chilena de Ediciones Ltda.
    Dr. Aníbal Ariztía 1444, Providencia, Santiago de Chile.
• Santillana de Costa Rica, S. A. La Uruca, 100 mts. Oeste de
    Migración y Extranjería, San José, Costa Rica.

Primera edición en Alfaguara: junio de 2003
Primera reimpresión: agosto de 2003

ISBN: 968-19-1255-1

D. R. © Diseño de cubierta: Sergio Gutiérrez Flores, 2003

Impreso en México

Con la muerte en los puños

Índice

Qué le vamos a hacer,
yo tenía que perder
y he perdido contigo.

MARÍA TERESA VERA Y LUIS CÁRDENAS

¿Lamentar? Lo dirá usted en broma;
los boxeadores nunca lamentan nada.

CARMEN BASILIO

Nació cerca de un potrero
donde no había ni un caballo,
recibió la luz del cielo
con relámpagos y rayos.

Él no conoció la escuela
donde fueron sus hermanos,
porque ya traía la fuerza
en el puño de sus manos.

Un hermano de su padre,
boxeador ya retirado,
le regaló el par de guantes
con los que él había ganado,
y no le quedaron grandes
cuando tumbó al Diablo Vega,
al campeón de todo el barrio.

Llegó a ser campeón del mundo,
no había quién se le enfrentara

hasta que llegó un valiente
y peleó en Guadalajara.

Salió a pelear como siempre
desde la primer campana,
le pegó hasta que la muerte
se le dibujó en la cara.

Él lloró con la victoria
y maldijo su destino,
porque conquistó la gloria
pero se sintió asesino.

Después aventó los guantes
y se salió de las cuerdas
a buscar cualquier camino.

JOSÉ ALFREDO JIMÉNEZ,
CON LA MUERTE EN LOS PUÑOS

Primer raund

Me pregunto cuánto tiempo hace que mi mujer me caga la madre.

He escrito al fin estas doce primeras palabras, movido por la curiosidad. Tengo muchos amigos intelectuales, de esos que se creen muy chiras pelas con las palabras, que piensan que manoseándolas uno le da vueltas a la realidad. "Escribe lo que te ha pasado, sin quitarle ni ponerle nada", me dijo una vez Juan Gavito, un pinche filósofo desgreñado al que le boleo los zapatos en el Vittorio's mientras se emborracha los viernes en la tarde. "Escúpelo todo como si al ponerlo en un papel pudieras al fin entenderlo."

"Sale y vale", le contesté por no dejar, como quien se espanta una pinche mosca.

Pasaron los días y ahora aquí voy y ya puse esas primeras palabras.

Y deveras, ¿desde cuándo?

La primera vez que la engañé fue con una puta de esas que se consiguen por teléfono en un hotel de Ciudad Juárez. Había ido a pelear. Después de la ceremonia del peso me tomé unas cervezas y ya me iba dormir, pero el taxista que me llevaba de regreso me dijo: "¿Cómo vería una morra para pasar la noche?"

"Nada mal", le respondí sin pensar en la Normita. Me preguntó mi número de cuarto y convenimos en el precio. Como a la media hora llegó

Denisse y pinche divertida que nos pegamos. Siempre viajaba con una botella de tequila escondida del mánager y nos la chupamos toda, así sin limón ni lágrimas. Nos correteamos en pelotas por el cuarto cantando rancheras y pellizcándonos, los muy güeyes. Luego cogimos como si el mundo se fuera a terminar al día siguiente. Me preguntó la vieja a qué me dedicaba y se lo dije: "A madrear pendejos."

No me entendió. Creyó que era judicial o algo así. Luego le enseñé la cicatriz de mi ceja y le expliqué que peleaba la tarde próxima con un gabacho de mierda, Davies, o quién sabe cómo. Lo acabé en el segundo raund, como si le pegara a la pared. Fue casi como un homicidio y cobré mi lana y me fui de la jodida Ciudad Juárez, que sólo el imbécil de Juan Gabriel piensa que es la número uno. Ciudad de mierda, como todas aun con su chingado Noa-Noa. Vamos a bailar, culeros. Si don Lupe, mi mánager, se hubiera imaginado que estaba faltando a una máxima del boxeo, la abstinencia sexual antes de la pelea, me hubiera partido la madre. Él sí sabía que las viejas terminarían siendo mi perdición. Alguna vez Juan Gavito me preguntó si era la bebida lo que me había sacado del box.

"Nanay, fueron las pinches viejas", le contesté señalando a unas gringas buenísimas que se chupaban los dedos manchados de salsa y aceite por las chalupas que se estaban tragando.

Pero eso vale madres ahorita, estoy contando cómo me cogí a mi primera vieja después de Normita, la muy puta de Denisse, chula y frondosa como buena veracruzana.

"¿Qué te gusta que te hagan?", me dijo después de encuerarse.

"Que me la metan", le bromié.

"No mames, ya en serio", dijo riéndose.

Le serví una copa. Soy un caballero; muerto de hambre pero con modales. Mientras se tomaba el tequila le besé las chichis y la toqué por todos lados, si no sabré ser semental. Pinche Denisse, estás más buena en la memoria, quizás. Después de venirse un hombre es un jodido cadáver, me cae, cuelga los guantes y es como si se hubiera petateado. Denisse se bañó para borrarse mi recuerdo y al fin dejó que la besara al despedirse.

"Eres un coqueto, ¿sabes que eres un coqueto?", todavía la oigo, cachonda.

Le dije que sí y la mordí.

"Ay, no chingues", gritó. Entonces le pagué para que se fuera de una vez a chingar a su madre. Luego caí como saco y sólo supe quién soy al siguiente día, cuando el puto sol se metió hasta el cuarto y me recordó que ora es cuándo chile verde, le has de dar sabor al caldo.

Me dolía la cabeza de puta madre, como si me la hubieran madreado en quince raunds, pum, pum, pum. Pendejo, y sin protección. Entonces pensé en Normita, pero con gusto, como extrañándola.

Todavía no me cagaba la madre, ¿verdad?

Hace un chingo de esa pelea, ya casi ni me acordaba. Lo que pasa es que por algún lado tenía que empezar esta historia, ¿o no? Tal vez, sin embargo, ésta no sea la historia que deseo escribir. ¿Quiero en realidad contar algo? Tengo este maldito cuaderno que me regaló Gavito y seguramente me preguntará qué he escrito. Y ni modo de decirle que nada. A llenarlo un poco, entonces.

Habría que cambiar en algo la jodida pregunta: ¿Cuándo no me cagaba la madre Normita? Demasiados años, a decir verdad. Demasiados para quienes después se han estropeado tanto las vidas. Me vale, en última instancia ya está bien lejos, en el culo del mundo. Ahora se trata de recordar… Recuerdo un episodio muy bueno de Kalimán donde la hermosa Nefris quería hacerse del diamante sagrado de Tutan-Kop para reinar como faraona. Se parecía a Normita y por eso le decía "mi Nefris, no me robes la joya" y así me la albureaba. Habremos tenido poco más de quince años y yo ya me había iniciado en el boxeo. Bueno, es un decir, iba a un gimnasio a pegarle al saco y la hice dos o tres veces de espárring. Nada más era un pinche novato, aficionado, que no soñaba con pelear profesionalmente. "No te azotes, cabrón", me hubiera dicho a mí mismo nomás de imaginarme esa mamadota. A ella le gustaba que peleara, hasta que nos casamos. Luego me chingaba con que me iban a matar o me iba a quedar pendejo.

"Yo ya tengo medio cerebro de por sí, mi Nefris, si no cómo iba a dejar que me madrearan", le dije.

Y ella: "Lo haces por dinero y porque eres un bueno para nada, ¿de qué otra forma podrías mantenernos? Pero sobre todo por vanidoso, porque es el único lugar en el que has ganado alguna vez, maldito perdedor."

Había nacido nuestro primer chamaco y ya no vivíamos en casa de su mamá, sino en una vecindad en el barrio de San Miguel, cerca de los baños Pescaditos donde estaba el gimnasio y mi tercer mánager, y ya las cosas se habían ido al carajo entre nosotros. Entrenaba todo el pinche día, como si quisiera chingarme al mundo, me cae. Y si tenía un rato libre me iba a los billares a jugar carambola y a chuparme unas cervezas con la palomilla. Deveras que el pasado no vuelve, qué buenos tiempos aquellos en que me salía de la casa, mandaba a Norma a chingar a su madre y me iba de parranda hasta que todo se hacía oscuro como el mismo infierno.

Pero entre esa época, ya casados y jodidos, y los tiempos de la faraona Nefris, estuvo el ejército, aunque no pasé de pinche cabo y el único rango lo obtuve peleando, hasta ganar tres veces el campeonato nacional, todavía era wélter. Ahí aprendí a pelear, con Pepe Linares, el Sarampión, un peso pesado de verdad que me enseñó mis primeros trucos y el ópercot, que sería después mi arma letal. Él sólo boxeaba con la izquierda, pero no había quién le ganara, si algún día se hallaba obligado a usar la derecha se la fracturaba, invariablemente. Estaba en un regimiento de infantería en la 24 Zona Militar, en Cuernavaca. No hubiera soportado de no ser por un compadre, casi un hermano que hice allí, Salomón Paleta Paleta. El doble apellido obligaba a las mofas diarias en el pase de lista: "¿Paleta Paleta?" "Presente", contestaba él.

"Me la chupas, me la chupas y me la dejas nueva", el comandante era un capitán de pocas pulgas al que le gustaba humillar a los reclutas: Óscar León Toledano. En las noches Salomón lo albureaba en secreto: "Óscar León, te ruge el mión, algún día me voy a chingar a ese pendejo, te lo juro", exclamaba.

Y lo cumplió: terminó corrompiéndolo con la droga y ahora está sentenciado a pena de muerte por las leyes militares. La última vez que vi a Salomón en su casa de la sierra se lamentó de que el Presidente los hubiera indultado, a él y a otros tres generales. Sigue odiándolo. A mí Salomón me surte con algunos kilos de mariguana, no mucho pero sí lo suficiente como para irla pasando; algo da su venta. Cada mes hago el viaje y regreso con mi bultito, me deja más que la boleada, a güevo.

Cómo se confunden los tiempos, el pinche pasado pues ya quedó atrás, ¿no? Y el futuro deja de serlo apenas y lo rozamos con los dedos, así que vivimos en un presente culero y único, por eso me cuesta tanto hablar sólo del que fui, contar mi vida. A fuerza reluce la actualidad, los días estos bien hijos de la chingada.

Hubo una época en que tenía un chorro de lana, casas, carros, viejas, chupe, droga. A reventar, me cae. Y sufría más, mucho más que ahora. Todo el maldito día preocupado por la lana, por tener más, por complacer a todos los pendejos y las pendejas que me rodeaban. Ahora he aprendido a no necesitar nada, y es bien chido. Al principio cuesta trabajo, pero bien rápido te acostumbras al hambre, a la miseria, a la mierda.

Cada fin de año hacía un pinche pachangón de miedo, tres días en Acapulco, en Las Brisas, pocamadre, como cabrón político, ya lo contaré después. Y me creía el cuento ese de los deseos y los propósitos de año nuevo, no mames. Que me voy a portar mejor, que ahora sí ya dejo de chupar o de fumar, yo qué sé cuántas mierdas. Y por el puro hecho de que ya era enero creía que iba a ocurrir, que sí iba a ser un buen año. ¡Guau!

Ahora sé que cada año es igual, ni mejor ni peor, sólo igual. Y que la vida se va yendo y no vuelve, no regresa, no. Pasa por las manos como agua, aunque sea de caño, y se pela la hija de su madre. Así nomás, sin avisar.

Ya me puse filósofo, seguro le va a gustar a Gavito ese tono como de anciano que platica con sus nueras a las que siempre se quiso coger y se mordió un güevo. Con una copa en la mano me imagino diciendo todo esto, pero yo ya ni sé dónde andan mis hijos, ni falta que hacen.

Así que regreso y mejor les platico del regimiento.

Salíamos al campo, a patrullar y hacernos pendejos un rato. Teníamos diez caballos para los cacas grandes y treinta y seis acémilas para cargar los morteros, las ametralladoras y los equipos. O para algún pendejo que la cagaba y se disparaba o rompía la pata. Los demás íbamos a pie.

Desde la segunda guerra mundial, nos explicaba el culero capitán León, se chingaron a los polacos por ir a caballo. Pinches mulas, tampoco sirven más que para cargar. Un caballo contra un tanque, los alemanes fueron pioneros en eso. Y ganaban casi siempre.

Todavía ahora estoy seguro que al capitán le hubiera encantado que los alemanes ganaran la guerra, y eso que perteneció al puto escuadrón 201, el único de nuestros regimientos que fue a la guerra. Siempre estaba presumiendo que había estudiado en West Point y luego nos decía alguna pendejada en inglés, para que le creyéramos.

En el ejército aprendí a boxear de verdad, a subirme al ring, a amar las cuerdas como a nada.

"El boxeo es una ciencia, algo tan fino como el ajedrez. Cada pelea es distinta, no importa cuánto te hayas preparado para el combate. Tienes que aprender a estudiar cada movimiento del rival, adelantarte a sus reacciones, comerle sus piezas, darle jaque mate. Yo me retiré invicto, porque no fui pendejo y no peleé contra jóvenes y porque siempre adivinaba qué chingaos iba a hacer el contrincante. Allí está toda la clave", me decía el Sarampión con su barba partida y su cuerpo como de toro de lidia.

En el ejército aprendí a fumar mariguana y a contemplar las estrellas. Se siente uno muy jodido, chiquito, pendejo pues, si se compara con el universo.

Pero eso no fue todo, no lo era todo. Había que ser el mejor, el más fuerte, si te agachas te pisan, te hacen mierda, eso lo aprendes rápido en el ejército.

En la primera comida, en el regimiento, se me ocurrió pedir un poco de sal. ¡Qué pendejada! Lo oyó León y se acercó con uno de esos botes gigantes que se usan para vender kilos de sal.

"¿Le falta sal a su sopa, soldado?", preguntó.

"Sí, señor", le dije.

"Pues póngale, faltaba más", abrió el bote y me lo vació en el plato.

"Ora tómese su sopa, a ver si está buena."

Me tuve que tragar todo el condenado caldo, que sabía a madres. Estuve enfermo toda una semana, con chorrillo y cagándome en el campo, en cada árbol. León Toledano nos daba lecciones cada que podía: "Siempre entierre su mierda, aquí y en la vida, que nadie la vea, ni siquiera la huela", y me daba una pala para cumplir su orden, o su deseo, qué voy a saber.

Cuando se me compuso la barriga el capitán volvió a la carga. Trajeron consomé.

"¿Le gusta ahora, soldado?"

"Sí, señor", contesté.

"Todavía le debe disculpas a quien la cocinó para usted la otra tarde, ¿no lo cree?", dijo.

"Sí, señor."

"¿Quién hizo la chingada sopa?", volteó hacia atrás.

"Yo, señor", se adelantó un sargento que me sacaba al menos diez centímetros y como veinte kilos, de lejos se veía que buscaba pelea.

"Discúlpese con Morales, soldado."

"Perdón, sargento, me gustó mucho la sopa."

"No así, hágalo como Dios manda", dijo León y todos sabían de qué se trataba, arrimaron las mesas y las sillas para improvisar un cuadrilátero y nos trajeron unos guantes. Nadie en el regimiento sabía que yo había boxeado antes, me alegraba que esa fuera la prueba. Sabía que iba a ganar, a pesar de la diferencia de tamaño. No duré ni diez segundos, me distraje y él me aplicó un gancho a la mandíbula que me agarró mal parado. Nunca me habían chingado de un solo golpe y vi estrellas, me cae. No me pude parar.

"No seas puto, levántate", me gritó el sargento Morales.

"¡Mátalo! ¡Hazlo mierda!", escuchaba como desde lejos a los demás.

Fue el Sarampión el que me salvó: "Déjenlo, ya se lo chingó."

Esa noche se me acercó quien iba a ser mi mánager, el que nunca se olvida.

"Boxeabas, ¿verdad?", me preguntó.

"Muy poco, servía de espárring, más bien."

"Tienes lo que más hace falta, buenas piernas. Con esos dos troncos puedes llegar lejos, muchacho. Pero aprende de una buena vez la regla de oro del boxeo: nunca tengas miedo. O mejor, sólo ten miedo de sentir miedo. ¿Me entiendes, cabrón?"

"Sí, creo que sí", los boxeadores solemos ser tipos muy tímidos, ese era al menos mi caso.

"No, no entiendes un carajo. Le tuviste miedo a Morales, pánico ante su rango. Desde que te le paraste enfrente pensaste que ibas a pelear con un sargento. Esa fue tu primera pendejada. Tu rival es sólo eso, tu oponente, alguien a quien le debes ganar, no importa cómo se llame ni cuántos ayudantes tenga en su esquina, ¿de acuerdo?"

Le dije que sí.

"Eres casi mudo, pero así es mejor. Aprende a escuchar, luego dirás muchas pendejadas. No debes tener miedo, porque de lo que se trata es de sobrevivir. Y no siempre lo hace el más fuerte, a veces es el más listo, el más astuto. Gana el que pudo adelantarse a las consecuencias, como en la vida."

Se ve que nunca le entendí ese punto al Sarampión. Nunca supe a dónde me iba a llevar el destino. Del boxeo sólo saqué una enseñanza para vivir: el odio es siempre más fuerte y más efectivo que el amor.

Lo mejor sería romper todo lo que he escrito y ser sincero. ¿Por qué he evitado contar la verdad en este escrito? ¿No me jode acaso no poder ir hasta mi infancia? ¿Hablar de mi madre? ¿O no fui niño nunca? ¿Me habré vuelto un cadáver, un pinche muerto vivo como de película del Santo, así sin darme cuenta? Porque puedo hacerme de una vez por todas la única pregunta que vale la pena, ¿cuándo te llevó la chingada, Kid Mierda? O al menos cuándo se fue a la mierda México, a la pinche crisis eterna tú que eras uno de los hijos de su milagro. En los libros de texto gratuito pintaban el mapa como un pinche cucurucho lleno de riquezas y de recursos naturales, una cornucopia, le decía la seño Tere con sus huarachotes de llanta. Y ninguno supimos nunca qué pedo con eso. Habría que madrearse al país, tirarlo a la lona, noquearlo de una buena vez al culero para que no le siga diciendo a sus hijos que les irá mejor, al fin. Mejor, una chingada. Y sigo escapando de la principal duda, el tormento por el que sólo a ratos, cuando no tengo nada que hacer, me hundo:

¿Quién chingaos mató a Marisol?

Segundo raund

"Tú ni esposa tienes, escribe algo verídico, que valga la pena", me regañó Gavito después de leer mi cuaderno.

Pinche Gavito, qué va a saber: sí tuve esposa, lo que pasa es que me dejó y se fue a vivir a Mexicali con otro cabrón.

Me preguntó: "¿Quién es Marisol, entonces?"

Le dije que lo sabría a su debido tiempo.

"¿Voy bien o me regreso?"

"Regrésate. Ni siquiera has dicho cómo te llamas, o como dices al final, no has hablado de tus padres, de tu infancia. ¿Cómo llegaste al box? ¿Por hambre? Escribe eso, será más interesante que saber a cuántas mujeres te pasaste por las armas."

No estoy de acuerdo con Gavito en eso de que las viejas no tengan vela en este entierro, si ellas fueron las que le encendieron los cirios por tantos años. Lo que sí es cierto es que no sabía cómo empezar.

"Pues por el comienzo, ¿no te parece lógico?", me volvió a regañar Gavito.

Pero hay un chingo de inicios. El del box, el de las viejas, el del chupe, el de la droga, el de la gloria, el de la derrota...

Y me interrumpió: "El de la vida, es mejor que sepamos quién eres desde el principio. Ya luego explicarás qué pasó con la tal Marisol, ¿no crees?"

Pues sí, sí creo. Pero nomás tantito, porque mi niñez es bien aburrida. Ahí va una salpicada: no, mejor así: ¿cuál es mi primer recuerdo? Puta madre, qué difícil. No tengo ninguna memoria de cómo nací, el niño arrugado, mojado, lleno de grasa como jamón podrido no existe en ninguna imagen, tampoco hay fotos, quién chingaos iba a tener una cámara entonces para atrapar el instante en que mis ojos vieron por primera vez el mundo y la comadrona me dio una pinche nalgada y he de haber pegado un berrido cabrón que asustó a todo el vecindario. Una pinche foto al menos que me recordara cómo me vio mi mamá esa primera vez, seguro sin odios ni rencores. ¿O no? ¿Le habrá dolido en el alma el parto y su primera reacción fue madrearse al renacuajo peludo que le había salido de las entrañas? Vaya a saber qué carajo pasa por el cerebro de una madre después de horas de pujidos y de dolor; tal vez sólo desea que ya termine, que toquen la campana y pueda irse a los vestidores. Pero la pinche pelea apenas comienza y el chamaco loco que acaba de nacer todavía no sabe que será un hijo de la chingada y que hará llorar hartas veces a su jefecita, a su cabecita blanca.

"Vales verga", me dijo, "no sabes contestar una simple pregunta." Y no, de verdad, no sé cuál es mi primer recuerdo. Tal vez si me concentro pueda ver algo.

Sí, ya viene. Es un domingo, lo sé porque volvemos de misa. Yo tendré cuatro años, quizás. Caminamos por la calle, sé que hace un calor tremendo y que mi abuelo suda, nunca supe la razón por la que detestaba las camisas, así que venía en camiseta de tirantes, empapado y gordo, como si el cuerpo se le fuera a desbordar de la ropa. Me lleva de la mano y cruzamos la calle. Vivimos en Nonoalco-Tlatelolco, en una casa improvisada, en un vagón. Es un vagón grande, así que todos cabemos, mis seis hermanos, el abuelo y mi padrastro, el muy culero y borracho. Es un vagón grande en donde te mueres de calor o de frío, según sea el caso. Le falta una ventana y colgamos allí un mantel en las noches, pero al viento le vale madre el mantel y se te mete hasta dentro. Mi padrastro trabaja en los ferrocarriles. Me da gusto porque se va mucho tiempo y nos deja solos con mi mamá y con el abuelo, don Goyo. Gregorio Cifuentes, de Fresnillo, Zacatecas. Es jubilado, aunque nunca supe en qué trabajó. Suda como si se estuviera deshaciendo, el pobre. Llegamos y la energía le alcanza para darse un baño atrás del vagón, protegiéndose con unas láminas y los tanques de gas se tira tres cubetas de agua sobre el cuerpo.

Nunca había visto a mi abuelo desnudo, tanta pinche carne. ¡Qué desperdicio!, pienso, pudiendo haberle dado ese cuerpo a seis hombres en lugar de uno. Pero no se lo digo.

"¿Qué miras, chamaco?", me grita.

Le contesto que nada, que no miro nada.

"Pues ahueca el ala, entonces. O qué, ¿nunca habías visto a un hombre desnudo?", me dice.

Pienso que tiene razón. Me impresionan los pelos por todo el cuerpo. Esa noche el abuelo me cuenta su vida, como si al haberlo visto encuerado lo hubiera mirado por dentro, yo qué sé. No recuerdo mucho ahora de lo que me dijo (o tal vez tiene razón Gavito y el recuerdo es la mentira que nos contamos como verdad cuando ya se nos olvidó todo), pero retuve una frase: "Así como me ves, yo fui campeón de peso pesado."

No sé qué significa, ni le pregunto nada. No se me olvida el orgullo y la mirada de placer que tenía cuando me lo dijo, allí entre todo el óxido del vagón y el pinche humo de la cena que cocinaba mi mamá, creo que eran frijoles refritos porque apestaba a manteca y hacían un ruido como de pequeñas explosiones de cuetes o chinampinas.

Volví a pensar en esa frase de don Goyo cuando se murió.

Y no fue de sopetón.

Lo enterramos y yo iba al sepelio como muerto, también. Ni siquiera lloré, aunque es una de las cosas que más me han calado hondo en la vida. Sólo al regreso, cuando llegamos al vagón (ya sólo vivíamos allí tres hermanos y yo tenía como catorce años), mamá me dijo que desde ese día yo iba a dormir en el catre del abuelo. Me acordé de la frase del viejo. Debajo del catre tenía una caja de cartón con revistas y recortes. Muchas eran de La Afición, en sus hojitas verdes, por eso el abuelo decía cuando iba al puesto de periódicos que iba por su lechuguita, otras del Esto. Todos los recortes eran de box y en uno de ellos Fray Nano hacía una reseña de una pelea de mi abuelo. Hasta que peleé profesionalmente supe qué chingaos era todo eso que vi esa noche del entierro. Entonces sólo leí cómo le habían arrebatado el título en una arena de Texas y que el periodista decía que Baby Cifuentes estaba acabado por el alcohol. Así que ese era el nombre de combate de mi viejo. Lo arrunflé con los recortes hasta que le sugerí a mi mánager, mucho después, que ese era el nombre con el que quería que me anunciaran.

"Tú ni te apellidas Cifuentes, no mames Rigoberto."

Pero es mi único apellido, el verdadero, el otro es de mi padrastro. Así que soy Baby Cifuentes y que no se hable más, ya alguien buscará la conexión con mi abuelo y a él le dará un chingo de gusto, donde quiera que esté.

No he terminado con la noche del entierro. Voy de vuelta. Al poco rato de que habíamos cenado unos panes y café que trajeron los vecinos mamá ordenó que nos durmiéramos, que ya era muy tarde y había sido muy pesado el día. Pero llegó Juan, mi padrastro, a quien yo llamaba la Espina, por razones obvias. Lo tenía clavado en el corazón. No le dio tiempo a mamá de contarle lo que había pasado. Estaba a oscuras y pensó que todos dormíamos. La tiró a la cama y quiso cogérsela. Venía borracho, cansado, de regreso de uno de sus viajes. Ella lloraba despacito mientras él le levantaba la falda y se bajaba los pantalones.

"No, Juan. No seas bruto", le dijo ella.

"Vieja pendeja, para qué está entonces", le gritó el hijo de la chingada.

La sangre se me iba calentando. Yo no sabía lo que era golpear a un hombre, no hasta entonces. El culero entonces empezó a pegarle y seguía diciéndole que era una puta, que eso era lo que le gustaba, que le dieran su servicio como a una carcacha vieja, que no se hiciera la santa. Me levanté con cautela, buscando el punto débil, sabía que por la fuerza no iba a vencerlo, ni siquiera borracho. Vi entonces que la nariz de mi mamá sangraba y que tenía el vestido roto. El imbécil tenía la verga caída, ni siquiera hubiera podido violarla, pero la golpeaba como si quisiera matarla.

Le pegué con el sartén de los frijoles en la cabeza, tan fuerte como pude. Se cayó el pendejo como si nunca hubiera estado parado. Dio un golpe en el piso y de su cabeza salió un chorrote de sangre. Me asusté, me dio miedo pero abracé a mamá. "¿Qué hiciste, pendejo?", y sólo le dije: "Pues defenderte, qué otra cosa, te iba a matar ese hijo de la chingada." "Ay, cabrón, lo que nos faltaba, Rigoberto, lo que nos faltaba", lloró.

Mis mediohermanos se habían levantado y rodeaban el cuerpo de su padre, llorando.

Mamá me pidió que me fuera a mi catre, que la dejara pensar qué íbamos a hacer.

La solución fue que me largara esa misma noche del vagón con una tía a Santa María la Ribera. Mi mamá iba a decir que fue ella, defendiéndose de su marido que la estaba golpeando y violando. Mis hermanos me miraban con odio, pero como si lo que estaba ocurriendo no pasara allí, en el vagón, sino muy lejos, quién sabe dónde. Se siente culero haber matado a un hombre, se siente de la chingada. Dicen los matones a sueldo que el segundo ya no duele igual, que ni importa. Yo sólo debo un cristiano, o al menos eso creo, porque no sé qué pasó aquella pinche noche con Marisol. Pero ese es otro pedo. Y yo agarro mis cosas y la caja de cartón de don Goyo Cifuentes, mi abuelo, y salgo como alma que lleva el Diablo, hecho la chingada hacia la noche. ¡Qué pinche frío hacía!

En la Santa María conocí a la Normita, mi Nefris. En la Santa María comencé a boxear para putearme el alma, o para desquitar mi puto odio. En la Santa María aprendí lo que es el hambre, el estómago más vacío que el corazón más hueco, me cae. En la Santa María supe lo que era la soledad verdadera, la culera, la cabrona, la absoluta y total soledad bien sola. En la Santa María me acostumbré a todo eso, porque es fácil al fin y al cabo, a todo se acostumbra uno en esta pinche y jodida existencia, ¿o no?

A veces iba a la cárcel a visitar a mamá.

Con mi tía estuve dos años y medio, antes de que empezara a vivir de las peleas, aunque fuera malvivir, y empezara mis giras por las ferias del país. Una mañana, al despertar, me sentí un vil puerco, amanecí con la verga bien parada. "¿En qué habrás soñado, cabroncito?", me pregunté, "¿o con quién?" Quién sabe, los sueños son marranos casi siempre o culeros. El sol se metía por la ventana y yo veía aquella cosa tiesa y me imaginé que mi prima Sandra venía y le daba un pinche beso con sus labios hechos para mamar, carnosos. Me imaginé sus ojos que se cerraban con el beso, sus pinches ojotes. Sandra tenía cuerpo de tentación y cara de arrepentimiento, pero aun así me imaginé que ella o su boca, para el caso es lo mismo, me besaba y luego me vine por primera vez en la vida. Puta madre, como la montaña rusa, nunca lo he vuelto a sentir, me cae, todo me temblaba, las pinches piernas. Sudaba y estaba todo mojado y pegajoso.

Ahí me sentí más puerco, ¿cómo iba a llegar hasta el baño sin despertar a mis primos? En la vecindad el departamento de mis tíos tenía dos habitaciones. En una dormían mis tíos y en otra nosotros, así que compartía la cama. Si el cabrón de Santiago se despertaba… Y pinche olor, además. Salí del cuarto agarrándome los pantalones y corriendo hasta el baño. Me bañé como si me quisiera tallar toda la mierda de mi vida, quitármela de una buena vez, restregármela. Hacía frío, pero pronto dejé de sentirlo mientras pasaba el estropajo y el jabón.

El agua estaba helada, la culera. Y me la echaba con fuerza, a jicarazos, de las cubetas. Pero me valía madres, sólo quería que nadie se diera cuenta de lo que me había pasado. Con el tiempo lograré controlar cuando se me paraba y las siguientes veces que amanecía así corrí a miar para que se me bajara. Todavía me pasa a veces cuando leo el pinche Libro Vaquero, porque están rebuenas las viejas. Hace poco con una que se llamaba Caminos Opuestos tuve que hacerme una chaquetota, como chamaco. Y es que me encandilan todas las palabras que usan y las piernotas de las chamacas, en especial una señorita Pearl que se escabechó a dos pinches vaqueros como quien dice buenos días y luego deja que la monte un saltimbanqui de feria que algo me recordó a mí, aunque el güey se llamara Alan. Siempre la más buena se coge al más pendejo, siempre.

¿Por qué chingaos terminé hablando de estas cosas? Era de mi infancia, de mis inicios en el box, de lo que quería hablar. Cuando mi mamá salió de la cárcel, como a los diez años, mis mediohermanos ya no me hablaban, tal vez estaban esperando el momento para la revancha, quién sabe, hasta ahora nunca se dio. Poco a poco dejé de ir a verla cuando regresaba a la capital, como si fuera la madre de esos otros cabrones, no la mía. Y de tantas ganas que le puse para olvidarla lo logré, me cae. Suena bien feo pero no es así, si uno se empeña y le pone todas sus ganas puede terminar por olvidarse de lo que se le hinchen los güevos, hasta de su madre. Nunca fue a una pelea, a lo mejor le daba miedo la pinche sangre, quién sabe. Nunca me preguntó si tenía vieja, si me había casado. Ni madres. Me dejaba que la visitara, pero como que no le hacía chiste, como que le recordaba al culero de su marido y a los años entambada.

Digo, gracias a ella yo no fui a la cárcel. Y eso se lo agradezco. Ella sabía que lo hice por defenderla, que el muy güey se estaba pasando, no mamen.

Un amigo dice que te casas con una vieja igualita a tu mamá. Y su caso lo comprueba, su esposa y su suegra son igual de culeras con él y de cachondas conmigo. La más ruca hasta se propasó una tarde en que los dos güeyes se metieron a su cocina. Estábamos en el jardín. Era cuando yo tenía billullo y amigos con jardín, hace un chingo. La vieja ya estaba bien traqueteada pero todavía aguantaba su cambio de motor. Pues ahí nomás que me empieza a meter la mano y a decirme que siempre le había gustado, que los hombres fuertes y machos la volvían loca, que nos fuéramos a un motel de esos con cama de agua y jacuzzi y que me iba a comer. "Te voy a exprimir, vas a ver", me decía, yo ya bien excitado, "Vámonos mijito."

Ahí la cagó la pendeja, me recordó a mi madre y se acabó todo el encanto, fiu fiu, como si le hubiera echado una cubeta de hielos.

Lo bueno es que llegó su hija y se dio cuenta. O lo malo, quién sabe. Delante de mí la empezó a regañar, a decirle que era una arrastrada, que si no se daba cuenta de que estaba hecha una anciana, que le daba asco a los hombres jóvenes, puta, un chingo de cosas bien ofensivas. Yo que su madre le hubiera dado sus buenas cachetadas, pero la señora se metió llorando a su cuarto. La verdad estuvo muy feo. Yo creo que se puso celosa y la arremetió contra su madre y no contra mí.

"Discúlpala, Baby, no sabe lo que hizo." Y le dije: "Como los pinches judíos con Jesús, ¿no?" Me salió conque no entendía. "Ni falta que hace. Me encanta cómo pones la boca cuando dices Baby, ¿sabes?" Entonces me preguntó: "¿De verdad te gusto?"

Igualitas, madre e hija.

Pero no estoy de acuerdo con eso. La Normita, que ha sido mi única vieja legal, así con iglesia y anillos y toda la chingada, no se parecía a mi jefecita en nada. No, ni madres. Si no me hubiera olvidado fácilmente de ella y no estaría acá, en este cuaderno, aunque hace ya cuántos años que se fue.

A Mexicali, con otro pendejo.

Y con los hijos. Ni falta que me hacen.

"Extráiganse las consecuencias que se quiera, yo no voy a enjuiciarme ahora."

Lo anterior lo escribí para Gavito. Tengo sólo dos libros en mi casa, los dos me los regaló él. El que más me gusta es un libro de frases célebres. "Ojalá te guste esta Antología de Máximas, Baby, son mejores que tus refranes, te lo aseguro", me dijo.

Lo he leído un chingo de veces, desde el principio, por el final, abriendo el libro en cualquier página. Algunas máximas me las he aprendido de memoria porque me gustan y luego ya las ando diciendo como si fueran mías. Una de un santo, Agustín, está bien chingona: "Las manos fuera de ti mismo, trata de modelarte y construirás una ruina."

¿A poco no?

Si la piensa uno tantito está cabrona, según yo puede interpretarse como que no hay que andarle dando vueltas: el destino es cabrón. Ahí solito va saliendo uno. Por eso lo de fuera las manos, para qué andar de metiche en las decisiones más cabronas, hay que dejar que sucedan. Lo malo es que otra que me gusta mucho es de Nietzsche. Puta, qué difícil escribir el nombre de este hijo de su pinche madre que dice Gavito que terminó tan loco como yo, con ataques y todo. Y me gusta tanto como la primera. "Se ha meditado y se ha comprobado finalmente que no hay nada bueno, nada bello, ni elevado ni malo en sí mismo, sino sólo estados del alma en los cuales damos esos nombres a las cosas que están dentro y fuera de nosotros."

Si todo es un estado del alma, nada vale por sí mismo. ¿Por qué no moldearse a uno mismo? ¿Para qué tener las manos fuera? No es fácil entender este pedo.

El otro libro no lo he abierto. Tal vez ahora, mientras escribo, lo vaya leyendo.

Tercer raund

Lugar siniestro este mundo, caballeros.

Estoy sentado afuera de mi casa, con mi cuaderno. Es domingo y en la calle no hay gente. Ni un puto ruido, como si ya te hubieras muerto y estuvieras en el pinche paraíso. Así ha de ser, me cae, pura tranquilidad, todos sentados afuera, viendo cómo se caen las hojas de los jodidos arbolitos. ¿Será?

Pienso: ¿por qué estoy escribiendo mi vida? ¿Qué hay más allá de la necedad del filósofo desgreñado y borracho? Y me está gustando, como si al dejarla en este cuaderno volviera a vivirla, para bien y para mal.

Las pinches viejas, pienso. Ya dije cómo engañé a Normita, me falta decir cómo descubrí su infidelidad. Puta, suena a El Libro Semanal, bien chido.

¿Cómo supe que la hija de la chingada me hacía pendejo? No, si eso lo recuerdo clarito, como si fuera ayer. Esa noche culera.

No era cosa, siquiera, de dejarme sorprender. Siempre había sido muy cauteloso con mis sentimientos, pero mientras veía gatear a mi hijo, me daba cuenta de que las cosas que verdaderamente joden nuestras vidas están más allá de lo racional, como el box. Lo cargo, lo veo sonreír y se me escapan las lágrimas. Quién dice que los hombres no deben llorar. Y es que nació con un chingo de pedos, bien enfermo. Los dos grandes no tuvieron bronca. Es más, pienso que es una suerte que Normita no me hubiera visto llorar mientras abrazaba al chamaco. Pronto mis sentimientos se confunden y me preocupa, más bien, lo indefenso de un niño. Recordé mi infancia con asco y fui a servirme un pinche tequila. La nana de Julio lo llevó a dormir mientras me encerraba en el gimnasio. Los otros dos se habían dormido antes. En esa pinche casota teníamos de todo, carajo, criadas, coches, alberca. Puta madre, qué lejos estoy de todo eso y qué mejor, es más sencillo vivir así como ahora, mientras es domingo y escribo en mi cuaderno estas pendejadas. Bebí demasiado rápido y me sentí mareado, como si estuviera pedísimo.

Estaba metido en la cama, leyendo el Esto, cuando llegó Normita. Los jueves iba siempre con sus amigas a jugar cartas y regresaba muy noche, medio peda y más pendeja. Me lanzó un beso desde la puerta mientras se quitaba los zapatos de tacón y volvía a ser la misma pequeña y jodida Normita con la que me casé seis años atrás.

Me preguntó por "el niño", como si los otros dos no existieran.

"Se durmió hace horas", le mentí.

Sin pensar la razón me tapé la cara con la revista para no mirar cómo mi vieja se encueraba. Hacía tiempo que me molestaba lo pinche flaca que estaba, su piel de pollo de supermercado. Normita se acostó a mi lado, liviana como era, sin producir la menor alteración en el colchón o las sábanas. Seguí leyendo y supe que ella estaba dormida porque empezó a roncar. Pensaba en Julio, en la próxima pelea y me mantenían despierto los chingados ronquidos de Normita.

En el desayuno estuvo cariñosa y los huevos que preparó Martha estaban riquísimos y mi hijo chiquito no lloró mientras le servían una papilla café verdosa que yo no hubiera comido nunca. Besé a Normita con un chingo de pasión al despedirme y les di la bendición a los tres escuincles y pensé que quizá a eso se referían los cantantes cuando hablaban de la felicidad. Después de un día muy cansado, regresé a casa e invité a todos a la playa. Siempre que me iba bien salía a Acapulco por tres o cuatro días. Esta vez me lo merecía más que nunca.

Alquilé dos cuartos, uno para Martha y los niños y otro para nosotros. No bien llegamos, habrá sido el calor o ese placer que causa algo totalmente nuevo, cogimos como dos pinches degenerados. Casi le arranco el vestido y ella, en el momento del orgasmo, me clavó las uñas. Me sentía joven, distinto.

"De pronto fue como era antes", me dijo Normita.

Me quedé pensando: ¿de pronto? Y ella: "Bueno, quise decir que me sentí como antes. Te amo."

Habrá sido como pronunció las palabras, o algo en el tono, pero me sentí inmediatamente desdichado, imaginé que el orgasmo de Norma fue fingido y que, en fin, dos pinches seres humanos nunca sienten lo mismo, ni al mismo tiempo. El amor es una vil pendejada.

Si me hubieran preguntado cómo me sentía esa noche, después de cenar langosta, a la luz de las velas y en un restaurante cerca de un risco al que llegaban de vez en cuando las olas y algunos peces saltaban sobre ellas en frenéticas carreras, seguramente les habría dicho que la vida está hecha de aislados momentos de pinche felicidad. Aislados, sí, pero momentos al fin. Volví a sentirme como después del desayuno y los días siguientes jugué con mis hijos, nadé e hice el amor con mi faraona Nefris sintiéndome bien feliz. Se lo dije en el viaje de regreso:

"Me siento muy feliz contigo", le dije.

"Yo también", ella me tomó la mano y me la apretó con fuerza.

El jueves siguiente compré vino, le pedí a Martha que guisara una pasta con champiñones, como la que comía en Los Ángeles y esperé a que Normita regresara del juego. A las once oí el ruido del coche y encendí las velas. Puse a Julio Jaramillo, el romántico de América. Escuché la llave dar vuelta en la cerradura, vi abrirse la puerta y a Normita, que me pareció buenísima, ahí parada la muy puta, vestida de rojo.

"Estás chulísima, mi Nefris."

"Déjate de juegos, vengo muerta", se quitó los tacones, dejó caer la bolsa al suelo y subió la escalera. Estaba decidido a que mis planes no se echaran a perder y puse en una charola un candelabro y los dos platos de pasta junto con las copas de vino. Subí queriendo sorprenderla y escuché la jodida conversación en el teléfono. Oí palabras sueltas como gracias, fue maravilloso, te quiero. Te voy a extrañar, te veo el próximo jueves. Te amo. Esperé a que colgara.

Entré, no le dije nada y le puse la charola en las piernas. Ella no se inmutó, me agradeció la cena y brindamos. No nos dijimos nada, qué pinche aplomo, me cae.

Antes de apagar la luz escuché sus malditos ronquidos. La sentí infeliz, me acordé de mis tres chamacos, del parto difícil de Julio, las primeras peleas, de cuando no teníamos dinero y estábamos jodidos.

Me dormí como si el cuerpo chiquito de la Normita fuera invisible, como si no hubiera pasado nada. Sentí que, después de todo, la pendeja nunca me había estorbado gran cosa.

Al día siguiente sí la mandé a la chingada y ella agarró sus cachivaches y los niños y se fue a Mexicali con el cabrón ese. Pinches viejas.

Estoy confundiendo las cosas. ¿Será a propósito? Se fue a casa de su mamá y según supe por unos cuates el cabrón ese la dejó poco después. Le han de haber gustado las viejas ocupadas.

Luego conoció a otro pendejo, un pinche ganadero o corralero de Mexicali. Con ese sí se fue, como al año. Me lo dijo mi abogado, un chingón. La Normita me quería sacar un montón de plata, un kilo por cada año juntos, me dijo en una de las audiencias.

"Te va a costar caro, Rigoberto", nunca me decía Baby.

"Odias el box, pero te gusta su olor, su dinero", le dije entonces.

"Te odio a ti, cabrón. No quiero ni que veas a los niños."

El abogado consiguió el divorcio por la mitad del dinero. La otra mitad se la quedó él, ya dije que era un chingón. Les mandé dinero a los chamacos mientras tuve en qué caerme muerto. Luego ellos deberían haberme mantenido, los muy güevones. Pero nunca me escribieron ni una pinche carta. Vaya a saber qué tanto les metió en sus cabezas la Normita. Lo siento por Julio, lo quise un chingo. Tal vez por enfermito, por jodido. Quién sabe. De los otros pendejos ni me acuerdo.

La busqué una vez, por teléfono. Es raro, había pasado mucho tiempo. Tres años, quién sabe. Me contestó como si nos hubiéramos peleado la noche anterior. Dijo una cantidad de leperadas que hasta me dolieron las orejas. Me amenazó si me acercaba a sus hijos. "Eres un pinche demente, deberían meterte al manicomio." ¡Bah!

Si hubiera sabido que tiempo después se le cumplieron sus deseos. ¿Lo habrá sabido? ¿Se habrá enterado de Marisol o deveras me enterró para siempre? Vaya a saber lo que piensan las mujeres, lo que les pasa por el cerebro cuando los pendejos como yo las maltratan y les hacen parir su suerte. Normita me odiaba, eso era claro. Pero me engañó, la cabrona.

Ella opinaba que en venganza, que se había tirado a todos los hombres que se dejaron. Uno por cada una de mis viejas. ¿O yo creía que iba a ver nomás cómo la humillaba? Son cabronas las viejas cuando quieren vengarse, más sádicas, más crueles. Me restregaba sus amores delante de los niños, para que supieran que no era una puta, que lo hacía en defensa propia. Decía: "No me pueden meter en la cárcel, alegaré que lo hice en defensa propia."

Así fue. Y me dolía más que lo dijera delante de los escuincles, qué pinche respeto le iban a tener a su padre después de eso, cómo se harían de grandes con ese ejemplo de la chingada. Me hubiera gustado que alguno de ellos fuera boxeador. Pero ningún hijo de boxeador sigue los pasos de su padre.

Se necesita la miseria, la más cabrona pobreza, el hambre. Me cae, se necesita haber sentido mucha hambre para dejar que un güey te madree sin piedad entre las cuerdas, sobre todo al principio, cuando eres un pinche saco y la haces de espárring, como yo en mis años de la Santa María. Ni boxeaba siquiera, dejaba que me golpearan para que los buenos entrenaran. Si no hubiera tenido el ejército no me hubiera interesado más por los golpes. Pero el Sarampión me salvó dos veces.

Luego vino ya un gimnasio de verdad, un mánager cabrón, peleas sin protección.

Luego vino la vida, así nomás, la real, la que no puedes evadir, de la que no huyes hasta que te sacan con las botas por delante y te meten tres metros bajo tierra.

A veces me imagino a Julio viendo alguna pelea en la televisión y a su mamá apagando el aparato, gritándole, pegándole.

Pero tal vez eso también es una mentira y ni siquiera él sabe quién fue su papá. A lo mejor le repugna el box, como a su mamá.

Si supieran lo que se siente en el cuadrilátero, el puto silencio antes de empezar a golpear. Ese silencio es cabrón, es como si Dios hubiera muerto y ya nadie pudiera hablar. Es como si el cerebro se hubiera quedado mudo y ninguna voz pudiera expresarse nunca jamás.

Pinche silencio y luego el ruido del primer golpe: seco, como si algo muy cabrón se rompiera dentro de la cabeza del rival. Luego el ruido se hace húmedo, se mezcla con la sangre y con el sudor. Pero el primero, el segundo, el tercer golpe son secos, como de tierra. Y todo, me cae, absolutamente todo se tambalea ante esos golpes que rompen para siempre el puto silencio del ring.

Me siento muy triste, carajo. Voy a empedarme.

Medianoche en el Tenampa. Tengo seis días divorciado, abandonado, dejado. Puta, qué gacho se siente. Baby tiene una de las mejores mesas, o sea yo. ¡Qué chingón, casi tocarle las nalgas a las bailarinas! Chupe, mucho chupe. Y viejas, o más bien nuevas en la mesa, para pasarla bien. Suena a película, a Juan Orol y esa chingadera, pero era de verdad. En otra mesa una mujer que me encueró con la mirada, hija de su madre. Rubia artificial, uñotas rojas, boca carnosa, barbilla prominente, el labio de abajo malicioso, gritaba cógeme, muérdeme. Vestido blanco, escotadísimo. Un viejorrón, de esas con las que te gustaría irte a una pinche isla desierta y andar los dos en pelotas por la playa revolcándose. Me la quedé viendo con cierto orgullo, como veía a los retadores: una mirada que más de uno temía, de la que todos me desviaban sus ojos, los pinches putos. Una mirada que dice: si te descuidas te puedo matar, cabrón. O cabrona en este caso. Ella me la sostuvo un rato, más que muchos; no sonrió y le pidió al pendejo con quien venía que la sacara a bailar. Nadie en mi mesa sabía quién chingaos era la muchacha. Le pregunté al mesero y le dije que le invitara una botella de champán, cortesía del Baby. Quería verla mirarme de nuevo, sonreírme. Esperaría hasta el final de la canción para brindar con ella desde mi mesa, con estilo. Un pinche estilo estudiado, de cine, pero que surtía efecto, chingón. Sonaba la orquesta y un cantante afeminado entonaba la de Romance de mi destino, me acuerdo bien. "Todo lo que quise yo tuve que dejarlo lejos. Siempre tengo que escaparme y abandonar lo que quiero. Yo soy el buque fantasma que no puedo anclar en puerto, ando buscando refugio en retratos y en espejos, en cartas apolilladas y en perfumados recuerdos." Me cae que ni pensaba en la Normita, ni en ninguna otra vieja. Estaba lo suficientemente borracho como para atreverme a desafiar al hijo de la chingada con el que venía esa vieja. Terminó la canción y fueron a sentarse. El planchadito caballeroso le ayudó a sentarse. Vino el capitán y le explicó que la botella helándose a su izquierda se la invitaba el Baby, le leí los labios al cabrón, "el caballero de esa mesa".

La muñequita me miró y pude ver sus dientes bien blancos y brillantes. Me sonrió agradecida y el capitán le sirvió una copa de champán. Me hubiera gustado ser una de esas burbujitas metiéndose por su garganta. No era ninguna abstemia, se tomó el trago como agua, la cabrona. Yo levanté mi tequila y le dije en voz alta:

"Jugo de amargos adioses es mi vaso predilecto."

La chamaca se rió y yo me enculé con esa pinche sonrisa.

Mi compadre, un machméiker de Peralvillo que había conocido años antes, me dijo que tuviera cuidado, que el cabrón con el que venía la susodicha tenía fama de matón.

"Primero me dices que no sabes quién es la chingada vieja y ahora conoces al padrote, no mames", le dije encabronado.

"Es una cantante, pero ya te conozco cómo eres de ojo alegre y la muchacha tiene dueño Baby, no te metas en líos."

"¿Y el pinche pachuco?"

"No mames, Baby, ya cállate, te pueden quebrar."

Esa era Marisol, puta madre de vieja, como ninguna otra.

Así la conocí, aunque no quise llegar a más esa noche, no estaba preparado. Agarré a una vieja de los cachetes y le di un besote cabrón, embarrándome el bilé en mis labios, sabía amarga la vieja, deveras. Como si se hubiera echado un buche de ricino la hija de la chingada, como si estuviera oxidada. No me importó. Me serví otra copa y la saqué a bailar, pegadita, como si me la estuviera cogiendo en la pista. Estaba apenas un poco mareado, a pesar de los tequilas, pero no me daba vergüenza que todos me vieran bailar de esa forma. Tal vez ni siquiera pensaba en ese momento en ninguna otra persona que no fuera Marisol. Es como si estuviera bailando con ella y no con esta otra, vaya a saber cómo chingaos se llamaba. Y se dejaba la desgraciada, hasta sentía bonito cuando le arrimaba el arma debajo de su cintura, ha de haber estado más mojada que un trapeador. Si se le veía en los ojos a la desgraciada.

"No llores por amor, alza la cara, porque a las rosas mustias nacidas con llanto no hay por qué regarlas", decía la pinche canción.

"¿A dónde vamos?", me dijo la cabrona.

"¿Cómo a dónde?, si estamos bailando."

"Después, papacito, después."

"Papacito, tu chingada madre, ¿quién te crees?", le dije.

"Bueno, no te enojes. ¿No me vas a llevar a dar una vuelta?"

"Será a la mesa, babosa."

"Que no digan tus ojos que se te ha acabado la paz en el alma, no llores por amor, triste quimera, así pasan las flores, llenas de perfumes de la primavera."

Así es, pinche sabio el Jorge Villamil. El gañán volvió a bailar con Marisol, cerca de donde estábamos. La agarraba por la cintura tan fuerte que a leguas se veía que a ella no le gustaba. Pero el cabrón quería que todos supieran que era suya.

"Esta noche, nomás", le dije al pasar.

"¿Nomás qué?, pendejo."

"Nomás decía, cuida tu vocabulario, ¿con esa boca besas a tus hijos?"

"No te hagas el fifí, pinche pelado. ¿O no eres el boxeador?"

"Pero no para tu ring. Ya estate sosiego, que yo no ando buscando pleito."

Me fui a sentar. La canción había terminado. ¿Cómo se habrá llamado la vieja que saqué a bailar? No era digna de recuerdo, creo.

Y es que en todo el Tenampa sólo existía Marisol esa noche. Las caderas de Marisol dentro del vestidito blanco, esa noche.

Mejor me empedé hasta caer oyendo "Licor bendito, te necesito cuando me encuentro triste, eres fiel compañero en mi soledad. De verdad."

El Dios en mi dolor.

Te necesito.

El trompetista era un negro gigante, tocaba como los ángeles. Y yo, herido de varias muertes, decidí olvidar todo esa noche. Desacordarme de Normita y de los chamacos, olvidarme de los pinches madrazos, desmemoriarme de Marisol y su sonrisa de piano. "Licor bendito, que quitas los pesares, que alegras corazones y matas el dolor."

Y me chingué al dolor.

Me sacaron cargando, ya de madrugada. Marisol se había ido con el semental que quemaba con ella sus últimos cartuchos, viejo verde de mierda.

¿Quién te habrá matado, Marisol?

Cuarto raund

¿De qué chingaos puedo seguir escribiendo?

¿Ya lo he dicho todo?

Ayer jugué dominó con Gavito y sus amigos. Bola de ociosos. Uno de ellos dijo que estaba deprimido. Me atreví a decirle que porque no trabajaba, que ningún albañil se siente deprimido después de cavar una zanja de tres metros. Los demás rieron con mi ocurrencia. Pero es cierto, es como los que dicen que el box es una animalidad, que es primitivo. ¿Y coger no es también de animales? ¿No es también primitivo? O como los que luchan porque desaparezca el box. ¿Por qué no desaparecen la pobreza, mejor? La pobreza es la madre del box.

Jugamos de parejas. Casi siempre ganamos Gavito y yo. Hablamos poco, el dominó es de mudos, por eso me gusta. No me preguntan nada de mi pasado, como si lo supieran todo, como si adivinaran cómo me cargó la chingada. No me tratan con lástima. Odio a los que me tienen compasión, a los que ven la leyenda negra del Baby Cifuentes y la chingadera en la que me he convertido y mueven la cabeza como diciendo qué jodida es la puta vida, mira cómo dejó a uno de sus hijos predilectos. Ellos no se dan golpes de pecho, a lo mejor el antropólogo, uno de los buenos amigos de Gavito, ni siquiera sabe quién soy. Un bolero cuate que viene en la tarde al negocio de Lamprus Kusulas y pide una cocacola mientras los demás beben café turco bien cargado.

Esta tarde volvimos a ganar. Jugamos apostando diez pesos cada quien, así que me embolso veinte, tres boleadas menos para irla pasando. Gavito les cuenta que estoy escribiendo, que le ha gustado mucho lo que ha leído, que soy un pinche cabrón. Se ríe al decirlo, pinche cabrón.

Esas dos palabras me definen, la neta. Me gustan, como que me dan cierto tacuche de maldito, de gángster de película. Nos reímos todos.

"A ver cuándo nos lo enseñas", me dice el antropólogo.

"No me alburee, maestro. Poco oficio es orificio", le digo.

"Oh, bueno, lo que has escrito."

"No, tampoco, mi buen, lo escribo para mí mismo, lo que pasa es que Gavito anda metiendo las narices en esas páginas", le digo sin ofender.

"Pues no lo dejes, no vaya a publicarlo con su nombre", contesta bromeando.

"Voy a seguir su consejo, me cae", río.

Luego hablan de otras cosas, como si yo no estuviera. Del país, sobre todo. Casi opinan lo mismo, que no tiene solución, que ya se lo llevó el pintor, que todos los políticos son unos corruptos, que de nada sirve votar si todo sigue igual aunque cambien las personas que llegan a los putos puestos a mandar. Uno de ellos cuenta cómo le pidieron dinero para sacarle más rápido un acta de nacimiento.

"¿Y les diste dinero?", pregunta Gavito

"Ni madres. Me dijeron que si necesitaba el acta antes del próximo lunes tenía que hablar con la encargada. Van a ser diez pesos más, me dijo, por la prisa. Y diez por buscar el libro del año. Entonces le dije que sí, pero que me diera un recibo. Usted comprenderá que por esos servicios suplementarios no podemos extender recibos, me dijo la desgraciada. Entonces no se lo pago, le dije. Bueno, pues venga por su acta el lunes. Ni se inmutó, se los juro. Nadie puede cambiar eso."

"¿Y deveras le urgía el acta?", le pregunté.

"Pues claro, es para un pasaporte. A lo mejor ni me voy de viaje. O lo atraso. Pero no voy a ceder al chantaje de un sistema que está podrido desde abajo. Se los juro que prefiero no salir."

"Pues con todo respeto, es usted un pendejo porque tampoco va a cambiar nada quedándose sin pasaporte y a usted veinte pinches pesos no lo hacen más rico. ¿O sí?", le dije.

"No puedes pensar así, de verdad. Por gente como tú es que no cambian las cosas."

"¿Sabe cuánto gana una pinche secretaria del Registro Civil? Por eso necesita ayudarse, porque no le alcanza con lo que le pagan. ¿Si no hubiera jodidos, para qué serviría la mordida?"

Se ríen. Es más fácil que entender.

Pinches intelectuales de café, arreglan todo hablando los muy pendejos.

No sé por qué, pero me voy triste de ahí, a bolear al Zócalo. Algo en la plática me movió el tapete, como dicen. Y no sé qué pedo. En serio.

Es de noche. Escribo. O me pregunto, que es lo mismo. No he hecho otra cosa en este cuaderno que poner mis malditas dudas por escrito.

¿Seré un pinche cabrón?

No creo. Digo, tampoco soy un alma de Dios ni me voy a ir al cielo, eso lo sé. Pero he hecho cosas buenas en mi vida. Algunas, ¿no? Lo que pasa es que a nadie le interesan las cosas buenas, son reteaburridas. Cuando alguien te cuenta lo bonito que la pasó, su chingón pasado, cómo se siente de contento por cualquier madre, me cae que bostezas, cabrón. Si el mismo güey te dice que se lo lleva la chingada, que se va a morir de cáncer o que su mujer lo dejó, entonces paras la oreja de inmediato. "¿Cómo dices?" Por pura curiosidad, o morbo, como en el Alarma! Aunque sepas que ninguna vieja ha parido un hijo con cola de perro ni que otro pendejo se comió a su esposa en salsa verde, de todas formas te paras en el puesto de periódicos a leerla o hasta la compras.

Y pasa que no te acuerdas lo mismo de lo bueno que de lo malo. Lo primero se olvida rápido, fum fum, adiós. Lo malo se queda y te jode.

¿Qué será lo más cabrón que he hecho?

Esa sí que es buena pregunta.

Si no contamos la noche de la muerte de Marisol (y eso porque deveras no recuerdo qué chingaos pasó) y después de haber matado a mi padrastro, sin querer hacerlo, quizá sí hay algo digno de mención.

Fue al principio, en una pelea. Me pidieron que participara en el tongo. Ni modo. Había muchas apuestas, demasiado dinero. Si no me noqueaban y ellos obtenían de regreso lo invertido, entonces Normita se iba a la chingada. Así nomás. Y luego yo, tal vez.

"¿Por qué no apuestan al revés? Yo puedo ganarle a ese pendejo, me lo chingo en el primer raund."

"No te hagas el héroe, Baby. De verdad. Es un buen consejo, pórtate bien y todo se arreglará."

"¿Todo? ¿Para quién? Yo qué chingaos gano con dejarme ganar."

"Ya veremos, tal vez podamos arreglar la siguiente y te vayas para arriba como siempre has querido. ¿No te gustaría pelear por el título contra el Toluco López?"

"Y mientras, ¿cómo sé que no me retiran por mamarracho?"

"En la vida hay que correr riesgos, Baby. Además no tienes alternativa. ¿O quieres ver a tu vieja partida en dos por la mitad como pinche vaca?"

"No se pasen, cabrones."

Eran dos pendejos de la Comisión de Box, arreglados con el gobierno. Hijos de la chingada. Me tenían agarrado de los güevos.

¿Por qué acepté? Todavía hoy no me lo puedo responder, ¿por miedo a que se chingaran a Normita o porque me moría de ganas de partirle la cara al Toluco y de tener el pinche cinturón de campeón por una vez en mi puta vida?

Lo más cabrón no fue haber aceptado. El pedo es no poder contestar esa pregunta. Está cabrón, ¿no? Siempre he pensado que no sirvo para querer, que en realidad nunca he amado a nadie. Ni a mi madre, ni a la Normita, ni a mis hijos, ni a la pinche Virgen.

Bueno, creo que ni a Marisol. Tal vez era sólo el encule.

Y vino el combate. Me temblaban las piernas como si fuera la primera vez que me subía al cuadrilátero. Todos en mi esquina sabían de qué se trataba, los habían comprado también.

"Lo hago para protegerte, Baby. Tú no vayas a hacer ninguna pendejada. Te dejas caer nomás. Pum. Se acabó esta chingadera, ¿de acuerdo?"

¿Y estaba de acuerdo?

Una parte de mí decía que no, que iba a pelear los quince raunds si era necesario, que les iba a dejar a los pinches jueces que fueran los transas, como muchas veces. Nadie iba a poder leer en los periódicos que me había vendido por un cabrón plato de lentejas.

Pinche Judas, la tenía más fácil. Él tenía que vender a otro cabrón. Y pudo darle un beso. Yo me tenía que regalar a mí mismo. Debía de ser pronto, me dijeron. En el primero, mejor. Y para peor humillación me pusieron enfrente a un puto muerto de hambre. Lo hubiera matado con sólo soplarle, le hubiera reventado la cabeza y hubiera regado el ringsáid con sus pinches sesos. El pendejo ni siquiera sabía pelear, ni pararse en la lona.

Le puse los guantes enfrente y lo miré como sólo ves a un hijo de la chingada. Le dio miedo al imbécil. Y eso que sabía que no lo podía matar.

No sé por qué, pero no me contuve. Lo golpeé sin piedad, sin misericordia. Dos ganchos y el cabrón se doblaba como pasto. Me miró sin saber qué hacer y me abrazó.

"Pelea, enséñame qué chingaos traes", le dije aventándolo contra las cuerdas.

Parecía bailarina, no boxeador. Aun así alcanzó a darme en la mandíbula. Un buen jab de chiripa. Pero ni me movió.

La campana marcó los tres minutos. En el infierno ése será mi castigo, un raund eterno con ese pendejo y yo sin poderlo acabar.

Se acercó un matón a amenazarme. La gente de la esquina me pedía que acabara ya con el suplicio. Don Lupe me repitió que no fuera a hacer ninguna chingadera:

"Nos quiebran a todos, empezando por tu vieja", me decía, sudando, el pobre.

Empezó el segundo asalto y yo volví con más fuerza contra él. Le di un derechazo fulminante en la ceja. Le abrí la jodida ceja.

Me puse feliz al ver su sangre.

Era todo lo que necesitaba, verlo sufrir antes de dejarme perder por primera y última vez en mi puta vida.

El réferi contó. No se oía ni una pinche mosca en la Coliseo. Nada, salvo la voz del árbitro. Cada segundo parecía una hora, un siglo:

Uno...

Dos...

Tres...

Y el pendejo, gracias a Dios, se levantó. Estaba a punto de terminar el raund. Él quería que terminara. No deseaba nada con más fuerza. Me le acerqué para que pudiera golpearme. Tal vez la sangre le dio valor al muy puto, porque me aplicó una serie de ganchos al estómago y luego me dejó madrearlo en la cara.

La campana lo salvó. Nos salvó.

En el tercer raund, con un simple puñetazo que me aplicó en la nariz, me dejé caer. Otra vez los segundos, pero ahora rápidos, sin tensión. Ya se terminó la mierda.

Diez...

Le subieron la mano y sonrió, como si se lo
mereciera el pendejo. El público chiflaba, tiraba los
vasos de cerveza. Y con razón. Yo seguí en la lona
hasta que vinieron por mí. Me arrastraron a la esquina como si fuera un toro recién matado de un
solo estocazo. Así, directo, desde la espina al corazón. ¡Chingue su madre!

Me dieron masaje, me echaron agua, hicieron
como que me reconfortaban.

¿Alguien se habrá creído la mamada?

Los cabrones se llevaron su dinero, Normita
siguió viva, ya se vio para qué chingaos. Y yo obtuve mi ansiada pelea.

Lo hice por eso. Puro egoísmo. No me importaba nadie más, sólo el campeonato. Sólo ganar. La
vida se cobra caro esas traiciones, vaya si lo sabré
yo.

Vuelvo a leer lo que acabo de escribir, con miedo.
¿De verdad uno puede ser tan hijo de la chingada
como para no querer a nadie? Bueno, ¿ni a uno
mismo? ¿O soy el único que ha importado y todo
lo he hecho para salirme con la mía?

Aquella noche gané perdiendo. Luego sería
peor, luego perdería ganando. Y gané muchas veces
sólo para perder más cabronamente.

Recuerdo cómo me fui caminando solo a casa.
Me ofrecieron aventón, irnos a una cantina o de
putas, algo que me hiciera olvidar la noche. Quería
estar solo, tan solo como un muerto. Algo se que-
bró dentro de mí, algo muy cabrón que no alcanzo

a ver. Nunca he podido, por más que le he buscado ahí dentro. Las calles estaban llenas de coches, las luces me mareaban, me dejaban ciego. Me deslumbraban. Jugué a adivinar las marcas de los autos que pasaban. Le atiné a los diez primeros antes de aburrirme. Llegué al Parque México, con sus fuentecitas y sus bancas de troncos de árboles, bien mamonas. No sé qué hacía en el Parque México. Me tiré en el pasto a ver el cielo, como en el ejército. Un chingo de estrellas, pero no veía ninguna en especial, todo me daba vueltas, como si un rehilete gigante moviera el cielo. Hecho la madre, me cae. Como si me hubiera drogado, como cuando te inyectan para meterte unos puntos en la herida. Ves y no ves nada en realidad, nublado. Otra forma de estar ciego.

Quién sabe cuánto tiempo estuve así, queriendo ver y sin poder mirar ni un carajo. Hacía frío, aunque llevaba suéter bajo el saco. Me fumé un cigarro. El tabaco es como el amor, cuando lo quieres dejar porque lo odias más hace por quedarse y hacerte la vida una mierda. Entonces el cigarro me supo bien rico. Le daba el golpe como quien recibe la comunión por primera vez y se cree el cuento. Puta, sientes que ya chingaste, que eres un pinche santo y que de ahí pal real te la pela el curro, el patas de cabra, el mismo chamuco con todo y su azufre. ¡Cómo se ve que jugué un chingo de veces lotería en las ferias en las que peleaba! Así me imagino al diablo, con su esmoquin y sus cuernotes. Bien elegante el culero.

Llevo media botella de tequila. Sólo así puedo escribir sin vergüenza. Ya nada me da vergüenza, deveras. Me podría salir ahora mismo desnudo, pedísimo, y gritar por la calle hasta que la pinche policía me metiera en la patrulla tapado con un sarape, y no sentiría la más mínima pena.

Ni así. Ya pasé por todo eso, ya se me cayó la cara muchas veces, ya dejé de ver a los ojos muchas veces, ya huí muchas veces, ya dejé de ver a mis amigos muchas veces. Ahora me importa un carajo lo que digan, lo que me hagan.

O iría a un supermercado y me sacaría la verga al llegar a la caja:

"¿Te sirve esto como pago, rorrita?"

Y la pendeja tocaría sus timbres y prendería todos los focos antes de que me agarraran. Ni siquiera me pondría rojo. Me encantaría ver la cara de la cajera, las manos tapándole los ojos como si nunca hubiera visto otra igual. O más grande.

He de estar medio borracho para escribir estas cosas. O muy pedo, más bien. Me cuesta harto trabajo agarrar la pluma y mi letra está del carajo.

Me voy chueco, y eso que el pinche cuaderno tiene renglones derechitos, derechitos. No mames, ya estoy escribiendo puras pendejadas. Es lo cabrón de beber solo, la soledad es canija y uno se mete dentro, muy dentro de uno mismo.

Se ve refeo allá adentro. Me cae. Bien oscurote. Y no hay nada. Por más que se le busque, por más que se le rasque.

Un pinche vacío, negro. Y un chingo de frío.

¿Por qué será que bien adentro uno está como congelado? ¿Será para no quemarse?

A lo mejor otra vez me fui por las ramas como pinche chango y no dije lo que de verdad quería decir. A lo mejor ni siquiera esto fue lo más cabrón que he hecho.

O a lo mejor me falta aún lo peor, quién chingaos sabe.

Ya dije que creo sólo haber matado a un cristiano, pero he visto muchos muertos más. Y la gente los llora, les abre la ventanita del ataúd, los acaricia allí bien fríos, o hasta les da un beso de despedida, les toma la mano por última vez. Un muerto ya no es nada, ni madres, sólo el hueco cabrón que dejó en los que siguen vivos.

Yo estaba muerto esa noche y nadie parecía notarlo. Ni siquiera estaba cansado, ni tenía la cara maltratada, los ojos abultados con moretones. Pero sentía más dolor que nunca. ¿Siente dolor un muerto? Eso me pregunté, me cae. Y entonces me dije que no estaba tan enterrado, tan frío, porque me dolía como un carajo, peor de lo que me dolió que Normita se fuera muchos años después, peor que lo peor. Era un dolor frío, como de cuchillo hundiéndose en la carne.

Y sé lo que es, porque una vez me hundieron la navaja hasta adentro. No tocaron ningún órgano los pendejos, pero cómo duele. Ves la carne, deja de ser rosa y luego es blanca, como la luna pero más mojada.

Yo he visto muchos muertos. Y eso era ahí acostado. Me metí en la fuente vestido. A la chingada, que me llevaran de una buena vez. O que me ahogara. Adiós, bai Baby, te extrañamos un resto, abur. No pasó nada, una pinche gripe nada más. La ropa se me pegó al cuerpo y el pinche aire la fue secando mientras caminaba hasta la casa. Habré hecho como dos horas, ya todos estaban preocupados. Pero llegué. Era como si hubieran visto un muerto.

He visto muchos muertos. En la calle, en entierros, una vez en la tele, hace poco, cuando Lupe Pintor se chingó al irlandés Owen. K. O. y madres, a la verga el güey. ¿Qué habrá sentido el campeón? ¿Vale una pelea la muerte de otro pendejo?

El que se sube a un ring sabe lo que puede pasar. Digo, es poco probable, pero ocurre. Según las revistas se han muerto casi cuatrocientos boxeadores en lo que va del siglo. Así que uno se arriesga, ¿no?

A dormir.

Quinto raund

Hasta este momento he escrito puras mamadas, ya lo dije. Y sigo huyendo de la verdad. Ahora sí voy de lleno. Tengo que acordarme de qué pasó la noche que se murió Marisol. Dicen los que saben que el quinto es el raund más perro, el definitivo. Si pasas de allí, ya sólo te queda el trece como el más cabrón. Dice Gavito que el quinto acto también es el más fatídico de la tragedia griega. Como la fatídica séptima entrada del beisbol, pienso, aunque sea otro número, es otro deporte. ¿Es el box un deporte? No, ni madres. Nunca he oído un pendejo que diga: "Voy a jugar box." Es un combate, una pelea, una lucha. Antes de que se hicieran más pesadas las reglas hubo combates de siete horas, de casi cien raunds. Ora sí que como tragedia griega. Me gusta eso, el Sarampión me decía siempre que me quejaba de alguna pelea que no resolvía en el ejército:

"No te ahogues en un vaso de agua, Rigoberto, no hagas de todo una pinche tragedia griega."

Suena bien. Y éste es el quinto raund de mi cuaderno. Algo, lo que sea, pero algo tiene que pasar, chingaos.

"Hundiose en la tragedia", diría el Alarma!

Unos cuantos datos antes de esa pinche noche, si no cómo se va a entender la bronca:

Después de esa madrugada en el Tenampa, cuando la conocí y me comporté como un soberano pendejo, busqué a Marisol hasta debajo de la tierra. Encontré su casa, pero me dijeron que había salido de viaje. Fui con su representante, pero me informó que Marisol había decidido retirarse del espectáculo.

Conocí a su madre. Nadie me hablaba del matón del cabaret, nadie sabía si estaba con él, si se había casado o fugado:

"Ya es mayorcita, ¿no cree? Siempre fue una niña voluntariosa, independiente. Déjela en paz, su vida es un papalote, que haga lo que le venga en gana, ¿no? Sólo me da tristeza que haya dejado de cantar. Prendía el radio a escondidas de su padre, para oírla ¿sabe?", me dijo su madre con cierto desprecio.

Dejé a la vieja con sus recuerdos, hacía seis años que no la veía.

Busqué a unos soplones en el Barrio Chino. Se dedicaban a eso, a extorsionar y a ganarse un dinero jodiendo prójimos. Siempre me pareció una mamada lo de Barrio Chino, pinche calle apestosa. Por cincuenta pesos iba a saber dónde estaba y si se había ido con el Zapatitos de Charol. Pagué la mitad por adelantado, como en las películas.

A la semana me fueron a ver al gimnasio. La muñequita se había ido a San Francisco, con el Glostora. Pinche relamido hijo de su madre. Me dieron la dirección y el teléfono.

Pasé tres días sin atreverme a hablarle. Luego, una noche después de tres tequilas agarré valor, pero contestó el pendejo. Todavía recuerdo el ruido del teléfono, la soledad cabrona que se siente, como si le hubieras hablado a la muerte y te estuviera esperando con su pinche guadañota a la vuelta de la esquina, la culera.

La próxima pelea estaba pactada en Los Ángeles, en la arena de los Luteroth, como siempre.
Chavo me caía bien, era muy decente el tipo. Decidí trasladar el campamento a San Francisco y nos
fuimos todos en el siguiente vuelo. Don Lupe no
estaba de acuerdo: "Aquí te hallas mejor, muchacho, si ni sabes inglés."

"Pero no se necesita. Allá todo mundo habla
español."

"Pues sí, pero este es tu gimnasio, aquí sabes
qué chingaos comes, controlas el peso."

No pudo oponerse y a los dos días estábamos
entrenando en un pinche garito de San Francisco,
cerca de Sausalito.

Me encanta el mar, me pone pendejo. Puedo
pasarme toda la noche viendo las olas; pinches ne-
cias: vienen, van, no se cansan. Estallan, madres,
pinche espuma y luego se regresan por donde vinieron las hijas de su chingada madre y vuelven. La
primera semana no busqué a Marisol. Me mordí
un güevo, pero no la busqué. Veía el papelito con la
dirección y no me atrevía a tomar un taxi e ir por
ella. Tampoco le hablé por teléfono. Es chistoso,
pero se me había olvidado su cara. Recordaba el
vestidito blanco, las piernas como de bailarina de
mambo, las caderas como me gustan, amplias para
tener de dónde agarrarse.

Pero de su cara, ni madres. Digo, ni siquiera
de sus ojos. Y eso que cuando se me mete una vieja
entre ceja y ceja es lo primero que me viene a la
mente, los ojos. Casi siempre me las imagino chi-
llando a las pendejas. Y yo acariciándoles las cejas
como si se las dibujara con los dedos encima de la
cara. ¿Cómo era Marisol? Ni siquiera se me ocurrió

comprar un disco en México, para oírla o para ver su pinche foto en la portada.

Salía a correr a las cinco de la mañana. Arriba, abajo, pinches pendientes de San Francisco. Un día me fui hasta su casa. Habrán sido como las seis de la mañana cuando toqué el timbre, valiéndome madres que abriera el Planchadito y me reconociera. Quería verla, no aguantaba más.

Nadie contestó. Volví a tocar, ahora más largo, como si quisiera tirar la casa. Se movió una pinche cortina blanca y se asomó Marisol. Yo creo que no supo quién era el güey todo sudado que tocaba, pero aun así bajó:

"¿Quién?", se oyó del otro lado después de un ratote.

"Baby Cifuentes, Marisol, soy yo."

"¿Quién?", volvió a preguntar.

"Baby, el boxeador. Nos conocimos en el Tenampa, ¿te acuerdas?"

"La verdad no, ¿cuándo?", abrió la rendija para verme, pero no descolgó la cadena, miedosa la pinche Marisol.

"Estabas en una mesa frente a mí. Te mandé una botella de champán, ¿deveras no te acuerdas?", le dije.

"Apenas, ¿fue un poco antes de que me fuera de México? Sí, pásale."

Al fin abrió. Tenía una bata blanca mal atada, de seda. Se había peinado un poco. Estaba preciosa. Y se lo dije.

"No digas tonterías, menos así de descuacharrangada. Déjame que me arregle un poco y bajo, ¿sale?", dijo.

"Sale, pues."

Di de vueltas por todo el espacio. Solitaria la casa. Ni rastros del culero. Mejor. Fui a la cocina y me serví un vaso de leche. Pinches confiancitas, me cae. Luego me senté en la sala a esperarla.

Se tardó un chingo. Bajó la escalera como una diosa, me cae. Un vestido color pistache o helado de aguacate, quién sabe. Se veía sabrosísima. Se había pintado los labios de rojo, la pinche boquita que me había vuelto loco. Y los párpados azules, como sus ojotes de bruja. Quería acción, la cabrona.

Me ofreció un jaibol y lo acepté: "Aunque es re temprano", le dije.

"Es lo bueno de los gringos, no hay hora para beber", respondió.

Sirvió entonces dos vasos.

No mames, cómo estabas buena pinche Marisol. Se lo dije, comparándola con Rita Hayworth: "Estás que te caes de buena. Digo, del árbol."

"Pero yo soy real, ¿no te parece mejor?"

"Mucho mejor", de pronto volvía yo a ser bien tímido

"¿Qué haces en San Francisco, Baby?", me interrogó de pronto.

"Buscarte", le mentí un poco.

Sonrió. Ahí estaban de nuevo sus dientes. Un cazador de marfil se los hubiera arrancado de tan blancos, perfectos. Los hubiera vendido bien caros.

"¿Así vestido?", me chingó, la neta.

"Es que peleo en quince días, en Los Ángeles, y me vine tras tus huellas a entrenar aquí."

"¿A poco?", le gustaba sentirse perseguida.

"Me cae."

Le conté la visita a la casa de su mamá, las preguntas con su representante, la persecución para saber a dónde se había ido. No le dije nada de su padrote, ni de mis informantes.

"Y diste conmigo, qué bien. Lo malo es que no soy una mujer libre, vivo aquí con mi hombre. Y puede regresar en cualquier momento."

Me cerró la puerta. Volví a la carga:

"No soy celoso, Marisol. Puedo soportar que duermas con otro si pasas los días conmigo."

"Va a estar difícil. Lo siento. Digo, me caes bien, pero hasta ahí. Me halaga que hayas venido hasta aquí sólo por mí, pero ni me conoces. No te convengo, de verdad. Todos los hombres con los que he andado han salido lastimados."

"Ésa es mi profesión, ¿recuerdas? Dejar que me peguen y cobrar una lana. No te preocupes, ya sabré defenderme."

"No es tan fácil, te lo juro. Si Tomás se entera no te va a dar tiempo ni de ponerte los guantes. Pum, un plomazo a los dos y no somos ningunos angelitos como para salir volando con nuestras alitas al cielo. Ahí nos llevó la fregada. Tomás no se tienta el corazón. Y dice que soy sólo suya; por eso me sacó de cantar, para que nadie me vea."

"¿Por qué te dejas?", le dije.

"No lo sé, será por comodidad, por llevarme la fiesta en paz. Tengo dinero, coche, las joyas que quiero. No me va mal, hasta eso."

"Vente conmigo ahorita mismo y déjalo. Yo te voy a cuidar, te lo juro."

Se rió. De verdad, como si hubiera hecho una pinche broma.

"Tomás ni siquiera se va a manchar las manos contigo, va a mandar a uno de sus hombres para que te ajusticie. Te lo juro. Adiós, Baby."

Le hubiera querido decir que todas esas razones me importaban pito, que soñaba todas las pinches noches con ella, que pensaba todo el cabrón día en ella, sin poder hacer otra cosa que repetir su nombre como pendejo.

"¿Puedo abrazarte?"

Alzó los hombros solamente, luego ofreció:

"¿Y si bailamos? Ya vi que eres muy buen bailarín."

Puso el radio. The Everly Brothers, All I have to do is dream. Bailábamos pegaditos y sentí su pinche corazón latiendo rápido como si saltara la cuerda. Respiraba con agitación, como dicen en El Libro Semanal, pensando en las mieles del amor. Puta madre, yo ya estaba como burro. Terminó la canción y se fue a sentar. La seguí.

La besé, a pesar de lo que me estaba diciendo me sentí héroe de cine y como en las pinches películas la abracé y le puse un beso cabrón. Fue un beso largo, sentados, frotándonos las lenguas. Luego cogimos y cogimos toda la mañana, como si ese fuera a ser el último día que nos fuéramos a ver.

"Se acabó, Baby. No vuelvas, por tu bien no vuelvas", me dijo sudorosa.

Me dio un beso en el cachete de despedida. Eran como las tres de la tarde.

¿Y a dónde estaba a todo esto el tal Tomás? Se lo pregunté por teléfono, en la noche. En su plantación en Sonora, cuidando la cosecha. Otro pinche campesino me quita mis viejas, pensé. Pero Tomás cultivaba amapola para venderla ya procesada en Estados Unidos, no maicito ni frijoles bayos. Si era un güey de cuidado.

Nos seguimos viendo, ahora en motelitos fuera de la ciudad, pero la Marisol estaba ya bien ciscada y cada vez era más rápido.

Al tercer día me di cuenta de que nos seguían. Un cochesote negro como lancha, nada discreto, a leguas se veía que me querían intimidar. Esa noche Marisol me dijo que debíamos dejar de vernos, que mañana llegaba su cabrón y ojete macho. Lo de cabrón y ojete se lo pongo yo ahora que lo escribo. Ella sólo dijo Tomás con un pinche respeto que ni a su padre.

Entrené como loco a la mañana siguiente. Como si quisiera matar a los espárrings, tres al hilo, pobres güeyes, sudar toda la pinche impotencia y el coraje. Le di a la pera dos horas, hasta romperla y luego me di un vapor de miedo, haciendo sombras con el puto humito. Don Lupe me vino a sacar: "Se va a deshidratar, muchacho. Para fuera."

En el hotel me esperaba una pinche sorpresa de miedo. Una invitación formal a una fiesta en casa de Tomás y Marisol, el viernes. Black tái, como dicen los pinches gringos.

Mandé alquilar un esmoquin de treinta dólares y esperé dos días, como si fuera a ir a mi puto entierro.

La fiesta era al aire libre, en el jardín. Había un chingo de gente. Luego supe quiénes: políticos, policías, actrices, grandes comerciantes gringos. Yo no encajaba. Fui a saludarlos junto a la alberca. Tomás abrazaba por la cintura a Marisol y se reía como un animal. Tenía una copa en la mano izquierda y con la derecha apretaba a su vieja.

"Miren, miren, si es el boxeador. ¿Cómo ha estado, Baby?"

"Bien, muy bien, señor Chávez, gracias por la invitación."

"Es un honor tenerlo en San Francisco, en esta su casa. Oí que va a defender el título dentro de unos días. ¿Está en forma? ¿Ha estado haciendo suficiente ejercicio?"

"Diario, señor Chávez, hasta cuando me vengo", bromié. Estaba ya bastante borracho, sólo así podía atreverme a ir a su casa.

"Sí, conozco todos los detalles, Baby."

Entonces escuché la canción: "Amor es un algo sin nombre que obsesiona a un hombre por una mujer. Yo estoy obsesionado contigo y el mundo es testigo de mi frenesí. Por más que se oponga el destino serás para mí."

Pinche orquestón. La Sonora Matancera, al fondo. No podía creerlo, allí en el jardín de Marisol cantaba Daniel Santos, y justo en ese momento una de mis canciones preferidas, Obsesión, de Pedro Flores. "Por hondo que sea el mar profundo, no habrá una barrera en el mundo que mi amor profundo no rompa por ti."

Un mesero me tendió un copa. Brindé: "Por su esposa, señor Chávez, y por su felicidad."

"Salud", contestó.

Tal vez me había pasado un poco. Me disculpé y fui a caminar por el pinche jardinsote. No conocía yo a nadie en toda la fiesta, pero aun así saludaba a todos, para vencer el condenado miedo.

Pronto Marisol estuvo conmigo:

"¿Dejaste ya al pendejo?", le pregunté.

"Cállate Baby, aquí las paredes oyen y te pueden acabar. ¿No podrías haber tenido más cuidado con tus palabras?"

"¿Para qué, muñequita, si ya lo sabe todo? Nos ha estado siguiendo desde el principio, a lo mejor hasta fotos tiene de nosotros."

"No friegues, Baby. Yo no he notado nada raro. Si fuera así me hubiera puesto una madriza buena desde que regresó. Y ha estado bien cariñoso."

"¡Cállate, por favor! No me vayas a contar cómo te cogió bien drogado, el pendejo."

"¡Cómo eres vulgar!"

"¿Qué quieres?, soy un pinche boxeador, ¿no? Pero me encantas, estoy bien enamorado de ti."

"Ya me voy con Tomás, diviértete."

"¿Y si cantas?", le pedí.

"¿Cómo crees? Tomás odia que cante. ¿No te dije que no quiere que nadie me vea?"

"Para que sus cuates sepan que tiene una vieja bien chingona, ándale."

"Nomás para ver qué cara pone, órale. Tú avísale a la orquesta y a don Daniel, él me conoce. Dile que lo hagamos a dúo, para que no se atreva a bajarme", me dijo ya animada.

"¿Cuál vas a cantar?"

"Pues ya estará de Dios, que se trague su dinero."

Al poco rato estaba cantando con ganas de chingar: "Que dicen que yo que esto y que lo otro no sé por qué, que saben toda mi vida que ya me paso de vacilón: gozo, bailo..."

Iba de regreso a brindar con el mafioso cuando uno de sus guaruras me empujó, haciéndose el descuidado, a la alberca. Estaba helada. Hubo gritos, disculpas. Tomás se acercó con algunos amigos:

"Perdón, Baby. Vete a cambiar a la casa. Un boxeador mojado es como un perro en la lluvia, da

lástima. ¿No creen? Ya conoces el camino, ¿no?"
Vénganse, les dijo a los amigos.

Hasta el pedo se me bajó mientras iba caminando escoltado por el mismo cabrón que me tiró, tenía órdenes de darme alguna ropa de Tomás.

Lo hice como si obedeciera un mandamiento de la iglesia, como un condenado a muerte. No sé qué me pasó que no me fui a la chingada de una vez. Me dejaron darme un baño con agua caliente y luego me dieron la ropa. Me quedaba muy grande, pero me arremangué los pantalones y me abrí la camisa dos o tres botones para disimular que parecía yo pachuco. Me dieron unas pantuflas mientras se secaban los zapatos.

"El señor Chávez lo aguarda en su despacho, no lo haga esperar, por favor", me dijo el guarura.

Era un pinche sádico al que le gustaba humillar a la gente. Estaba además muy pasado. Tenía a Marisol junto a él en un sofá, yo me senté enfrente.

"¿Has probado la coca, Baby?", me dijo.

"No, ni madres."

"¿Quieres un viaje gratis?"

"Paso, gracias."

Sacó una pinche pistola más grande que su brazo. Cortó cartucho el hijo de su chingada madre que lo parió cagando y me puso unas líneas que sacó de una pinche pecerota llena de coca, parecía tierrita.

"Métete una en cada hoyo. Enséñale, puta, órale, de perrito. Le pegó una patada a Marisol. Pero primero desvístete para que se excite tu amigote."

Ella no sabía lo que estaba pasando, lo juro.

"Órale, ¿no me oyes? Toda, te quiero ver encuerada, cabrona. Jálale, no tenemos todo el tiempo". Él mismo le arrancó el vestido.

Me daban ganas de madrearlo, pero nos hubiera disparado a los dos antes de que le diera el primer puñetazo. Le untó la cara al vidrio. Ella jaló aire y polvo y los ojos se le pusieron rojos como de conejo. Parecía una liebre asustada.

"¿Viste cómo, pendejo? Vas tú. Vas a viajar gratis hasta la chingada." Colocó unas líneas gruesas y me obligó con la pistola a metérmelas completas dentro de la nariz.

Luego me obligó a encuerarme. No sé cómo en esos momentos da tanta pinche pena, cómo piensas esas pendejadas mientras te quedas en pelotas.

"Ora cógetela", me ordenó.

"No puedo, ya no chingues."

Me pegó con la cacha. Sentí cabrón, como si me noquearan, pero sin réferi.

"¿No que muy salsa? Ayúdale."

Así nos estuvimos haciendo pendejos, ella chupando y yo sin poder. No se me paraba, qué pinche angustia.

"Así que andas con un pinche puto, ¿quieres que yo te la meta, pendejo? Tendrás tanta suerte. Váyanse los dos a la chingada."

Le dijo a Marisol que me inyectara con una jeringa de vidrio. No sé qué chingadera me metió, pero me fui a otro país, ya no estaba allí. De un chingadazo me borró del mapa. Después de eso no sé qué pasó. Me cae, no tengo ni la más remota idea de lo que siguió. Como si me hubieran borrado la película dentro de la chingada mente. Ni madres.

Se siente bien ojete no saber qué pedo con uno. Me ha pasado muchas veces con el alcohol, pero con un poco de ganas termino por saber quién chingaos me tiró a la cama a dormir. Las ocho o diez horas que pasaron entre la jodida inyección y cuando desperté en ese hotel de la carretera no son mías.

Me las robó el hijo de la chingada de Tomás Chávez.

Ya estoy muy cansado para seguir escribiendo, y muy pedo. Lo dejo para después. No mames, qué pinche dolor de cabeza.

¡Ay!

Escribo el grito, pero no duele igual.

Sexto raund

¿Será cierto que uno comete un solo error en la vida por el que termina arrepentido todos los días que le quedan? ¿O será que se van acumulando las pendejadas como deudas y al final uno no tiene con qué demonios pagarlas?

Esa noche me acabé. Lo que sucedió me fulminó, pero no como un rayo, como dicen en las fotonovelas, sino que acabó poco a poco con lo que me quedaba adentro, como una buena pelea.

La semana siguiente perdí contra un chicano que tenía la bandera gringa en los calzones. No me noqueó, pero al final su puntuación estaba más arriba de la mía.

Sólo pensaba en Marisol y me preguntaba en cada golpe: ¿qué chingaos hice?

Necesito mucho tequila para contar lo que me pasó. O lo que vi. Hasta ahora no sé qué chingaos sucedió.

No es que no me acuerde ya, después de tantos años de pedas y mariguana. Digo, a lo mejor me acuerdo menos, pero no es eso. Es horrible despertarte una mañana y no saber nada de ti, ni cuántas horas pasaste dormido, ni dónde estás. El cuarto de un motel, nada más abrir los ojos, pero... ¿dónde?

Traía una cruda de la chingada, me dolía la cabeza como después de un combate. De hecho me dolía todo el cuerpo y no había cubetas de hielo para meterlo. Puta, me hubiera encantado una tina llena de hielo y olvidarme ya de una vez por todas de quién era esa mañana.

Tardé mucho en recordar el punto de quiebre, el momento último de conciencia. Eso siempre decía don Lupe: "Hay un instante en el que dejas de ver y pierdes la conciencia, ahí te chingaste. Tu cuerpo debe estar en otro lado cuando boxeas, muy lejos, para que no te duela, pero tu mente, cabrón, toda tu mente y cada segundo del raund debe estar aquí, entre estas cuatro esquinas."

Ni mi cuerpo ni mi cerebro estaban conmigo esa mañana.

Sólo el dolor, un dolor intenso, como cuando me disloqué el hombro contra Peacock, aún así le rompí su madre por la vía del cloroformo puro, como dice ahora el doctor Morales. Como me la rompió (la madre, digo) Tomás Chávez con su pinche inyección.

Cuando por fin pude abrir los ojos vi que tenía las manos llenas de sangre. Seca, pegada a la piel, roja. La luz me dolía como si me taladrara el cráneo,

Una pinche ráfaga de miedo recorrió mi cuerpo desde las uñas de los pies a la punta de los pelos. ¡No mames!, se siente horrible, culero. Me tenté el cuerpo a ver si estaba herido, el estómago, el cuello. Ni madre. Y la camisa estaba dura, como de cartón, llena de sangre. Quienquiera que fuera el dueño de tanta tinta roja debía estar bien muerto para entonces, pensé.

Pero no podía ponerme de pie. Ni siquiera sentarme en la cama para desde ahí ver cómo estaban las cosas. Alguien había corrido las cortinas porque solamente por un huequito entraba el sol. Con un chingo de esfuerzo llegué al apagador, arriba del buró, y encendí la luz, la cabrona.

Si la pura mañana en penumbras entró a mis ojos con la fuerza de un cuchillo cebollero, ahora el puto foquito se me metió hasta el culo con un calambre bien ojete. Cerré los ojos.

Me sentí jodido, como pajarito en basurero. Como cuando te pelas por primera vez de tu casa y ya lejos empiezas a sentirte solo, desamparado. Sientes que no hay regreso, que a partir de ahí una pinche carreterota vacía, sin coches ni gente, te lleva kilómetro tras kilómetro hasta la chingada.

Ni para llamar por teléfono, mi cabeza no recordaba ni el nombre del hotel, ni los números, ni nada. Apenas sabía quién era pero no qué carajo estaba haciendo en ese hotelucho de mierda.

Tardé un siglo en incorporarme. No podía caminar. Como si una fuerza más cabrona que yo me detuviera. Me senté en el colchón, respiraba como un toro antes de morir, sentía que el puto cuarto daba vueltas y vueltas.

Cerré de nuevo los ojos.

La memoria puede jugarte muy malas pasadas. Yo ya no estaba en ese cuarto de hotel, sino en el ejército. Andábamos por Guerrero, patrullando las plantaciones de droga y matando campesinos. Para eso está el ejército en este país. Recuerdo la selva, tupida, la pinche humedad del carajo. Me veo pecho tierra aguantando la orden del sargento para avanzar hacia una plantación que teníamos que quemar en una hora, antes de que las avionetas de los narcotraficantes nos dispararan a mansalva.

El sargento llegó arrastrándose hasta mí, era un tipo corpulento, lleno de barros. Comía unos tazones de avena con agua, asquerosos: Hugo Sepúlveda.

"Usted se queda aquí, soldado", me indicó.

Los demás se fueron a hacer sus labores y entonces el hijo de la chingada me dijo que le mamara la verga. Así nomás, como si me hubiera dicho cuádrese.

"No entiendo, Sargento", fue lo único que le respondí.

"¿Qué tiene que entender? Bájeme los pantalones y mámeme la verga si no quiere que lo acuartele por desacato", enrojeció el puto.

Me quedé paralizado. Él mismo se desabrochó el pantalón y me la metió en la boca. ¡Qué pinche asco!

Cuando lo hizo y ahora que lo recuerdo no puedo dejar de vomitar. ¡Guagh!, para afuera todo.

"¡Guacarea para otro lado, pendejo!", me gritó Sepúlveda dándome un empujón. Luego me pasó su cantimplora. No, si la cosa no iba a terminar así, no, qué va. Pinche puto asqueroso. Se limpió la verga con agua y volvió a metérmela.

"¡Cuidado y lo vuelves a hacer!", me dio un asco horrible, pero el güey me agarró la cabeza y me la movía hacia atrás y adelante mientras se le iba poniendo dura. Yo sudaba, me cae, y no sé cuánto tiempo se la estuvo chaqueteando el pendejo con mi boca. Se la hubiera mordido al puto.

"Usa la lengua. Para qué chingaos la tienes, cabrón. O te la corto, hijo de la chingada", dijo jadeando.

Puta, no mames, nada más de recordarlo me vuelven las náuseas.

Oí los pasos de los soldados. Los oía lejos pero me preocupaba que alguno regresara y me viera mamándosela al puto sargento.

Oía la hierba quemándose, la olía y el güey no terminaba. Empecé a llorar. No sé por qué, pero se me salieron unas lagrimotas. Para qué chingaos. Sepúlveda se puso como perro rabioso y me empezó a gritar que era un pinche maricón, que no aguantaba ni madres.

"Los hombres no lloran, soldado, ¿qué no lo ha aprendido?"

Me bajó el pantalón y me la metió por el culo de un solo golpe, como un pinche experto. Me dolió como la chingada. Y grité como el carajo. Sepúlveda me pegó con su rifle y me abrió la cara. Esa cicatriz todos creen que fue del box, pero ni madres. Fue esa tarde, en Guerrero.

Al pendejo le dio miedo y me dejó ahí tirado. Ha de haber ido a jalársela detrás de un árbol, porque lo oí: seguía jadeando como una pinche bestia.

Me vestí y fui a alcanzar a los otros. Salomón Paleta me miró como si hubiera visto un fantasma: "¿Qué te pasó, güey?"

"Sepúlveda quería cogerme, ¿no oíste el pinche grito?"

"Pues sí, pero qué iba a saber que eras tú."

"Era yo, no mames. Pinche puto."

"Denúncialo."

"No mames, quién sabe cómo me vaya después. Olvídalo."

"Puta, si se veía tan machito."

"Aquí todos son unos pinches putos, para eso nos tienen, Paleta."

"Pues yo que tú de todas formas lo denunciaba para que le apliquen la ley marcial y no vuelva a hacérselo a otro güey."

"Me valen los otros pendejos. Yo ya salvé mi pellejo. O casi", le dije.

"No mames, ¿te la metió?"

"Una vez, pero grité y se salió."

"¿Te gustó?", rió el cabrón.

"No chingues, Sal, que estoy que me lleva la chingada."

"Bueno, pues ya eres un macho probado, ¿no? Malo que te hubiera gustado y yo tuviera que escaparme de ti, putito."

"Cómo me gustaría que lo colgaran de los güevos al hijo de la chingada y que se desangrara hasta morirse."

"Pues denúncialo", volvió a decirme indignado.

"Ni madres, yo quedo en ridículo. Es más, tú no sabes nada, ¿de acuerdo? No le vayas a decir a nadie, Sal, de verdad."

"Oh, ya: de verdad."

"Júramelo, cabrón. Por tu madre."

"Por mi jefecita."

Y le dio un beso a una cruz que tenía en el pecho. Le creí.

No bien regresamos al campamento, el sargento me acusó de desacato y así justificó el golpe en mi frente. Me acuartelaron una semana.

¡Qué vergüenza!, pensaba encerrado en un pinche calabozo, comiendo pan y agua y saliendo a correr quién sabe cuántos kilómetros al día con todo el equipo. No, si después del ejército cualquier chingadera es poca cosa, me cae.

Me acordé de todo eso ahí sentado en el puto colchón, manchado de sangre, sin siquiera moverme. Luego me dio risa. No sé por qué, pero me

puse a reír como pendejo, como si de tanto estar
acorralado y sin salida en lugar de vencerme lo aga-
rrara por el lado amable. O habrá sido el efecto de
todo lo que me metieron por las venas, quién sabe,
pero el caso es que ahí estaba yo riéndome de las
pendejadas de Salomón. Mira que venir a decirme
que ora sí era yo machito probado cuando apenas y
podía caminar derecho después de la violación del
sargento hijo de puta.

Pero me reí como loco.

Me acordé de una canción de Julio Jaramillo
que cantaba con Normita. Bueno, hasta la usaba
para dormir a los niños. Y me vino completita:

Cuando no tengo ya nada que hacer
me paro en una esquina
mirando por doquier
mirando cómo pasan
las chiquillas bonitas
luciendo su figura de rosa en do parné
apresuraditas
muy bien vestiditas
van pasando por la calle diciendo:
bonito, pos qué le pasa a usted
chaparras lindas se miran por doquier
güeras morenas que son ricas también
que tienen sabrosura y no saben de traición
que entregan sus amores con alma y corazón.
México tiene una cosa que no sé
que el que llega de pronto
no se quiere volver
será porque le dieron a tomar el tequila
será el sabroso pulque que lo hace renacer.

Ay mexicanita
dame tu calor
yo te juro por la Virgen
que si me quieres pronto
te llevo al Ecuador.

Ahí estaba yo, jodido como el que más, hecho una mierda y cantando pendejadas.

Estaba fuera de lugar esa canción. Estaba fuera de lugar reírse.

Pero yo también estaba fuera de lugar. Ese hotel estaba fuera de lugar. Mi camisa manchada de sangre estaba fuera de lugar, mis manos llenas de sangre seca haciéndose costritas estaban muy fuera de lugar.

Y sin embargo me reía como un vil pendejo.

En el tocador había una jarra con agua. Me fui arrastrando con un esfuerzo sobrehumano. Era igual que en el box, cuando vuelve a sonar la campana y a ti de lo que menos te dan ganas es de volverte a levantar para que un hijo de la chingada venga a madrearte, pum, pum, pum, a las cuerdas; pum, pum, pum, a la lona. ¡Estás fuera! Lo único que quieres es quedarte sentadito en el banco, que te den masaje, te echen agua y que alguien venga a aplicarte unas vendoletas para que pare la sangre y puedas ver algo.

La sangre te deja ciego, ves entre nubes.

Pero no es así. Suena la pinche campana y te tienes que parar y volver a pelear. Otros tres minutos en los que te juegas la vida, en los que tienes que estar tan frío y concentrado como si apenas hubiera empezado el combate, aunque las piernas te tiemblen. ¿De dónde saca fuerza un boxeador para seguir de pie?

Yo siempre he dicho que de su ignorancia, de su pendejez. El Sarampión decía que de su orgullo, de su vanidad. "Es puro coraje de macho", decía. El griego Parnassus pensaba que era puro instinto de sobrevivencia. El boxeador es una bestia en la jungla. Si no mata, muere. Así me sentía yo, sacando fuerzas de quién sabe dónde para no derrotarme y caer dormido.

Me levanté como pude y agarré la jarra, pero se me vino encima. ¡Qué chingona la sensación del agua en mi cara, mojándome el pelo! Puta, como volver a nacer.

Quedó un poquito dentro de la jarra y lo bebí, como si hubiera estado tres días en el desierto.

Fue un pinche traguito, deveras, pero no lo pude digerir.

Vomité sobre la alfombra, madres, todo lo que me había chupado el día anterior y cada uno de los culeros bocadillos de la fiesta.

Todos hechos un puré medio naranja lleno de pedacitos que parecían cubos de hielo en medio de la malteada.

Me desplomé de nuevo.

Otra vez habrá sido una hora o tres, quién sabe. Dormitaba y volvía a despertar con un dolor del carajo en todo el cuerpo. Era más culero que en la cama.

¿Será así la muerte, que recordamos en el último pinche suspiro lo más culero de la vida?

Séptimo raund

Todos los raunds del mundo duran tres minutos, eso lo sabe cualquiera.

Sin embargo, ningún raund dura lo mismo.

El tiempo es la medida menos exacta. Sí, ya sé que si los contamos son los mismísimos ciento ochenta segundos, pero las manecillas nunca se mueven igual. Hay asaltos de un siglo y otros que se van como el agua, en un cabrón pestañeo.

Yo me he tardado siete raunds para llegar al centro de mi historia, al "punto de quiebre", como decía don Lupe. Después, ya nada es igual. Nada, me cae.

Voy, negras.

Me quedé en que vomité todito sobre la alfombra y luego me eché un coyote de quién sabe cuántas horas, aunque intermitente como luz de automóvil. Al final, después de un ratote, me desperté con muchas ganas de miar. Otra vez intenté levantarme y ni madres, y sucio, lleno de sangre y guácara, me arrastré pecho tierra hacia el baño, que estaba cerrado.

Cuando llegué a la puerta me recargué en ella con el hombro, de costado subí mi cuerpo empujándolo con los talones hasta que mi mano dio con la perilla para darle vuelta.

Puta madre, abrí la puerta y vi a Marisol tirada en medio de un charco de sangre que iba siguiendo el camino de la coladera. Los ojos abiertotes como letreros de precaución a los que nadie les hizo pinche caso.

Se murió asustada la pobre, creo.

Pensé entonces que se me habían quitado las ganas de orinar, pero no, lo hice en el pantalón.

Como pude me arrastré hasta la cama para llamar a la pinche policía. Antes de marcar, ya subido en el colchón de nuevo, vi la pistola.

Deveras que es bien ojete no acordarse de nada. ¿Qué hacía ahí junto a mí, donde me había quedado dormido, esa pistola que nunca había visto en mi vida? Por un momento, porque todo es posible cuando te encuentras drogado, pensé en algún pleito mientras escapábamos de Chávez.

¿Escapamos alguna vez de ese hijo de la chingada?

No me acordaba, me cae. ¿Cómo llegamos Marisol y yo a ese cuarto? ¿Le disparé yo? ¿Le disparé en el baño o fue en otro lado y por eso tenía manchada mi ropa?

No, no. No podía haber sido yo. ¿Con qué fin?

De pronto me imaginé a Chávez apuntándome con su pistola y obligándome a jalar el gatillo para ultimar a su vieja. Pero sabía que era un sueño.

Siempre me ha encantado esa palabra de historieta, ultimar. Hacerla última, yo creo. En ese momento ni me vino a la mente la jodida palabra. Estaba muy asustado. ¿Si llamaba la policía y yo era el culpable? Me iba a pudrir en una cárcel gringa por haberla matado, lleno de droga.

Pero además, si Chávez quisiera yo ya estaría bien preso, con todos sus amigos policías, gangsters y políticos, que para el caso es lo mismo.

De todas maneras tenía que salir de ese lugar y no podía hacerlo caminando con esa ropa. Hablé a la recepción y pedí que me comunicaran. Di el nombre del gimnasio, que es lo único que sabía a ciencia cierta, de lo único que me acordaba: "Pregunte por don Lupe, por favor."

Me indicaron que colgara. Ellos volverían a llamar.

Esperé largo rato, pensando en mi presente. Es cagado, pero cuando estás en una situación como esta lo primero que te pasa por la mente son las cosas que tienes que hacer en los próximos tres minutos. Tu cabeza no puede ver más allá.

Ni siquiera pensé en la pelea, ni me acordé de que era boxeador y que estaba en San Francisco preparándome para defender mi título mundial. Un puto cinturón, nada más.

Un puto cinturón por el que había luchado toda la vida.

Pensaba, eso sí, qué iba a hacer con el cuerpo de Marisol, la muy pendeja. Mira que andar cogiendo conmigo a sabiendas del culero que tenía por palenque.

¿Por qué no me ultimó a mí también?, me preguntaba. Para él todo hubiera sido bien fácil: "Chíngate a ese cabrón, bórralo del mapa." Y ya, ni madres del pachuco cabrón que lo molestaba.

Adiós, Baby.

Pero no, ahí estaba yo, más muerto que vivo, pero coleando al fin y esperando a que mi mánager hablara desde el gimnasio y viniera por mí, y me sacara de todo este lío de la chingada.

"Pasaron desde aquel ayer ya tantos años", como dice la canción. No, ya en serio, en los minutos siguientes me pasaron todas las ideas por la cabeza. Todas. Y además eran igual de posibles, porque sonaban bien racionales.

Como no podía reconstruir los hechos (y cuántas veces oí esa frase, carajo), pues tenía que imaginarme las cosas, pensar en cómo habíamos llegado a esa situación. Yo con un pantalón arremangado, una camisa gigante, de otro güey, y llena de sangre. Y Marisol, mi Marisol, ultimada en el baño.

Había exhalado su último aliento.

Esa frase también me gusta un chingo, como si antes de morirse uno resoplara bien profundo y luego, zaz, se acabó.

Pensaba, por ejemplo, que nos habíamos pelado en un coche deportivo que le robamos a Chávez y que tomamos cualquier carretera, pero que yo estaba tan drogado que Marisol me pidió que pasáramos la noche en el motel. Luego yo me puse pendejo y ya adentro le recriminé que no me permitiera manejar. Nos hicimos de palabras y ya encabronado le disparé. Luego me dio un chingo de miedo y la escondí en el baño. Estaba, efectivamente, muy drogado y me quedé dormido. La pistola seguía siendo un misterio.

¿De dónde había sacado la puta pistola?

De la guantera, como en las películas. Ahí la tenía Chávez por cualquier cosa. La saqué al entrar al motel para defenderme si llegaban sus hombres por nosotros. La misma Marisol debió de haberme dicho que en el coche había una pistola.

Luego la maté.

No creo, sentiría remordimiento, me dije. Y aquí estoy, maltrecho pero seguro de que otro güey la mató. Se la escabechó.

Imaginé entonces que luego de la inyección en casa de Chávez me quedé dormido como costal de papas. Sus hombres me subieron al coche y me fueron a dejar, junto con Marisol, a un hotel. La vieja se puso pesada, les pegaba, los arañaba y uno de ellos le disparó. Su sangre me manchó la camisa. Luego la metieron al baño y a mí me acostaron con la pistola junto, o me la pusieron en la mano y se me cayó dormido, quién sabe. Sonaba bien.

¿Y por qué tenía las manos llenas de sangre?

Para empezar, no creo que nadie se llene las manos de sangre al disparar una pistola, por más que le revientes la yugular a la víctima.

Me mancharon las manos, entonces, embarrándomelas en la herida y luego me tiraron en la cama. Tuvieron que ser dos güeyes, tampoco es que sea peso pluma, carajo.

Sonaba mejor, pero había cabos sueltos. Bueno, carajo, qué más quería, los únicos que podían atar los cabos eran Chávez y sus hombres. La única pinche realidad es que yo estaba saliendo de un viajesotote y Marisol estaba bien fría y tirada en el baño, cubierta en su propia sangre. Hijos de la chingada.

Por fin sonó el teléfono. Era don Lupe: "¿A dónde te metiste, chamaco?"

"No sé ni siquiera dónde estoy, se lo juro. Véngase por mí, por favor."

"¿Cómo voy a ir por ti si no sabes dónde estás?"

"¿Pues no le hablaron por teléfono?"

"Sí, me dijeron que me estabas buscando y nada más", me explicó.

"Estoy en un motel, quién sabe dónde."

"Ah, chingaos, con eso me das muchas pistas. ¿Cómo se llama?"

Voltié por todos lados de la recámara. "No lo sé", pensé buscando algo. Por fin en el buró, adentro del cenicero, vi unos cerillos. Le dije el nombre y la dirección que venía apuntada.

"Pero será mejor que hable, don Lupe, y pregunte bien. Pero apúrese, estoy que me cago de miedo."

"¿Qué chingaos hiciste, chamaco?"

"Tampoco lo sé. Tráigame ropa limpia, por favor."

"¿De todo?", me preguntó.

"Sí, carajo, hasta calzones y zapatos, pero apúrele, deveras. A ver si viene con los muchachos, porfa. Quién quita y los necesitamos."

"Órale, ahorita nos vemos, Baby."

"Nomás no le diga a nadie, ¿sale?"

Colgó. El sonido del otro lado se me hizo como una balazo que me diera en la cabeza, pum. Me sentí más solo que antes de la llamada, más jodido.

Yo creo que me quedé dormido de nuevo, porque oí que tocaban a la puerta con un chingo de fuerza. Me dio un ataque de pánico, estaba seguro de que eran los hombres de Chávez y que ora sí me tocaba bailar con la más fea.

Volvieron a tocar, pero esta vez don Lupe me gritó:

"¿No vas a abrir, Rigoberto?"

Otra vez el mismo puto circo para tirarme de la cama a la alfombra y arrastrarme hasta la puerta mientras seguían tocando:

"Ya voy, cállese que despertará todo mundo."

"Pero si son las cinco de la tarde, muchacho. Abre rápido."

Octavo raund

Suena muy pomposo, muy a toda madre eso de estar escribiendo mi autobiografía, como dice Gavito, pero ni madre, lo único que he hecho es contar tres o cuatro pendejadas, y contarlas mal, incompletas.

No hay de otra.

Hace una semana que no escribo. Es más, hace una semana que no salgo de mi casa. Me empedé después de mi último raund en el cuaderno. Me sentí chingado, anciano, jodido por el recuerdo, madreado por haber vuelto a vivir cada segundo de ese despertar endemoniado.

De mierda, me cae.

Mejor voy a escribir de box. Es como volver al Paraíso.

¿Quién me sacó a patadas, como de una cantina? ¿Desde cuándo me comí la pinche manzana? ¿Cuál Eva me la dio? Digo, ¿cuál de todas las putas Evas que me cogí en el camino me dio a probar la puta manzana de la discordia, me hizo caer en la tentación, como dice el Padre Nuestro?

Ya he dicho que en Santa María la Ribera no aprendí a boxear. A pelear sí, tal vez, para sobrevivir a las pandillas de vividores de mi edad. Y eso que en cada lavadero de las vecindades en la Santa María había un gimnasio, pero sólo aprendí a dejarme golpear. Era un espárring nato, que hacía que los otros se lucieran, sin ningún pinche chiste. No tuve buenos entrenadores, ni adquirí las enseñanzas bíblicas de don Lupe, sino hasta el Jordán. Así decía don Lupe:

"Cabrón, lo que yo te enseñe es como la Biblia, ¿me entiendes? No hay otra verdad, esta es la dulce ciencia del box."

Y con él la aprendí, la saborié, llegué a amar a la dulce ciencia. No había otra verdad, ni creo ahora que la haya. Con él aprendí la mayor de todas las lecciones: la serenidad. Es el gran tesoro del boxeador, me decía, su amuleto.

Pero eso lo dejo para más adelante, ya se vio su serenidad en medio de la sangre, de Marisol, de mi pantalón arremangado.

Después de Santa María fue en el ejército, creo que ya lo dije, donde no sólo aprendí a boxear, sino supe que sería boxeador. Eso sí fue chingón. El Sarampión me cambió la puta vida. Después de que me noqueó el sargento Morales por el asunto de la sal en la sopa, le pedí que me enseñara a pelear.

"Ya sabes pelear, Cifuentes. No has hecho otra cosa en tu pinche vida que pelear", me dijo.

"Pero enséñame con guantes, con todas las reglas", se me quedó mirando serio.

"¡Ah!, dirás entonces que quieres aprender a boxear, ¿no?"

"Pues sí, a boxear. No a que me golpeen cada que me subo al ring."

Se puso en posición, doblando la rodilla izquierda y con los brazos en guardia, luego me dirigió la más cabrona mirada que pudo. Pensé que me iba a golpear sin misericordia.

Se rió.

"¿Te dio miedo, verdad güey?"

"No."

"No mames, te cagaste en los calzones y luego volteaste para otro lado. Ya ves, no sabes boxear."

"¿Tengo que ver a mi rival todo el tiempo?", le pregunté ingenuo.

"Cada pinche segundo, lo que ves no duele, no puede hacerte daño. Lo que ves no puede moverse mucho y sorprenderte. Nunca le quites la vista a tu rival. ¿Oíste? Nunca, nunquísima."

El Sarampión me enseñó, con su idea de comparar el box con el ajedrez, que el inicio es esencial: "La pinche secuencia de apertura es fundamental. Si sales con un jab y luego rematas con la izquierda es seguro que se tambalea. No te infles entonces, estudia al cabrón primero, ¿cómo reacciona? Ahí lo agarraste. El mejor boxeador es el que más rápido se da cuenta de los defectos del rival. Primero lo destanteas al pendejo y luego, madres, ya sabes si es bailarín y todo es juego de piernas, si te esquiva, si se deja pegar para que te descuides. Digo, es que sólo hay tres maneras de reaccionar ante un jab, o lo esquivas a algún lado o hacia atrás, o lo enganchas o lo recibes de golpe, pero tieso."

No le contesté.

"¿Entiendes algo?", me interrogó.

Mi silencio fue suficiente respuesta, entonces con las manos desnudas me aplicó su secuencia mortal. Jab, izquierdazo. Esquivé el jab, pero me dio con la izquierda, potente y veloz, su mejor don. Me tambalié.

"Te lo dije: tu mejor arma son las piernas. Si las pones duras no te tira ni un huracán, cabrón, si son como el árbol del Tule, no mames."

El Sarampión me enseñó que el box, la dulce ciencia, es una rara combinación de velocidad, astucia, fortaleza y, más que nada, voluntad. Digo, si la pelea es buena, si el promotor buscó dos cabrones buenos, de la misma categoría, igual de experimentados, o sea si buscó una pelea que diera un buen espectáculo, no como las que arreglan ahora para que un pobre imbécil se caiga en el segundo asalto y la pinche televisión se forre de billetes, digo que si es chingona todo es un asunto de voluntad. El que tenga más y no pierda de vista a su contrincante termina triunfando aunque sea en el último raund.

"Se trata de no perder la fe en ti mismo, de llevar tu cuerpo al límite del esfuerzo físico, allí donde todo es ya una cuestión de puritita voluntad. Entonces nadie te gana, al menos que te pongan un peso pesado o que llegues pedo a la arena."

El Sarampión me enseñó a torcer la muñeca cuando estás cerca de dar el golpe.

"Y luego pega con todo el cuerpo, no sólo con el puño, déjate ir con toda tu fuerza, como si te balancearas. Así, cabrón, así. Muy bien."

"El boxeo es el arte de la autodefensa. ¿Cuál es la mejor defensa?", dijo.

"El ataque", respondí. Era ya como un juego muy nuestro mientras entrenábamos.

Y siempre decía que la mejor manera de defenderse cuando el ataque del rival es tan masivo que no puedes oponerte, consiste, simplemente, en evadirlo.

"Mientras más cabrón es el ataque más recursos tienes que sacar a flote. Ahí es cuando ves los mejores enfrentamientos, a veces un solo raund en una pelea."

Como cuando decía que en la esquina, entre los raunds uno no debe oír consejos, ni gritos durante la pelea.

"Tienes que cerrar los oídos mientras te repites una y otra vez que no hay nadie mejor que tú en el ring, que eres el más cabrón. A ver repítelo."

Y yo lo hacía, de broma y en serio:

"Soy el más cabrón, no hay nadie mejor que yo en el ring. Soy el más cabrón", y así hasta el cansancio.

Y sin embargo, aunque pareciera siempre ofensivo prefería que dejaras que el otro abriera primero y luego contraatacaras.

"El contraataque es la regla de oro del box."

Tenía muchas reglas de oro.

Su peor, la más culera, la que hoy recuerdo a güevo, todos los pinches días cuando me levanto y me veo en el espejo es ésta:

"La mejor medida de un boxeador sólo puede tomarse, Rigoberto, cuando se baja para siempre del ring. Entonces sabemos de qué madera estaba hecho."

El Sarampión fue mi Angelo Dundee. Luego vino don Lupe a cerrar la pinza. En México normalmente tu mánager es tu entrenador, o tiene un ayudante. El griego fue mi promotor internacional. El box estaba realmente por empezar. Luego le gané a Kid Anáhuac, al Toluco. Acabé con todos los de mi peso y se les ocurrió que debía subir de categoría, meses de comer papa y camote y entrenar para semipesado. Hasta que lo logré en un país de plumas, gallos y cuando mucho welters, como había sido yo. Para qué chingaos, me digo ahora. Pero también me contesto que para qué chingaos me lo pregunto hasta ahora. Ni modo, así fue y ni la Virgencita de Guadalupe lo puede ya cambiar.

"Te han enseñado lo básico, chamaco, pero les faltó enseñarte a defender. ¿Quién te entrenaba?"

Los mánagers son como los peluqueros, siempre hablan mal del que te hizo el último corte.

Le conté del Sarampión, a quien por supuesto no conocía. Estaba fuera del negocio.

"¿Deveras te interesa boxear profesionalmente, chamaco?"

"Sí", le dije seguramente sin sonar muy convencido. Era la primera vez que entraba al Jordán. Sabía que era como meterme a un templo y hablar con el Sumo Sacerdote, como dicen en Kalimán, así que me daba mucho respeto. Luego he leído que es la base de la relación con tu mánager, el respeto. Y el güey debe amarte, si no le caes bien nunca debió entrenarte, esa es otra regla que he aprendido con los pinches años.

"¿Has pensado en tu salud, chamaco? Boxear no es cualquier mamada. Nadie queda normal después de veinte o treinta peleas de verdad, de campeonato. ¿Has pensado en lo que es un hígado chingado de por vida? ¿En lo que significa que no quede ni un pinche hueso duro en tu nariz? Se te reblandecen tanto que con sólo apretártela se te hunde como si fuera de papel y te quedas chato. ¿Se te ha ocurrido que pueden romperte la mandíbula y que duele del carajo cuando hace frío y te la tienes que acomodar con la mano para que vuelva al lugar del que algún pendejo la desencajó para siempre? Sonny Liston decía que los sesos descansan como dentro de una taza y que el box los obliga a salir tanto de la taza que no regresan a su lugar. ¿Ves a ese güey?", me señaló a un hombre vestido de traje a rayas, impecable, elegante, casi un Emilio Tuero.

"Sí."

"Bueno, es mi ayudante. Gil Jiménez, el Cajetas. Un boxeador de primera, pocos pelearon con la elegancia de mi socio, hasta que lo noquearon para siempre. Vio las luces negras, lo peor que puede ver un boxeador después de un golpe. Y míralo, quedó para el arrastre. Tiembla como si tuviera Parkinson y lo único que sabe hacer es entrenar. No le preguntes el año, te dirá que es el 38. Ni siquiera sabe que terminó la Segunda Guerra Mundial. A veces le dan ataques y hay que amarrarlo para que no se corte la lengua de una mordida. ¿Has pensado en eso? Te puedes morir en cualquier asalto, nadie te asegura que saldrás vivo de la próxima pelea. Pero eso no es lo peor, pocos boxeadores mueren, lo peor es vivir jodido de por vida por haberte subido al ring. Si te va bien tendrás las orejas de coliflor, como yo, o la nariz como la carretera a Oaxaca. ¿Sabes cómo se siente ahogarse por un derechazo en la manzana de Adán? No tienes ni puta idea. ¿Te sientes lo suficientemente hombre?"

"Sí, creo que sí."

"No basta con creértelo. Tienes que probarlo. La única manera de resistir a un golpe es recibirlo, ahí está todo el chiste de este deporte. ¿Sabes lo que se siente que te rompan los senos nasales y la sangre se te derrame dentro del cachete? Dicen que es peor que un parto, aunque ningún boxeador ha salido embarazado."

Se rió de su chiste, luego siguió: "y lo peor es que el día que te rompan la mandíbula no vas a irte al hospital, vas a tener que pelear otros diez raunds

antes. A eso se le llama en este negocio corazón.
Quien no tiene ese corazón, chamaco, mejor que se
vaya. No tienes otra arma para razonar que tus dos
puños. Miles gritarán que debes morir y tu madre
estará en la primera fila, ¿le podrás sostener la mirada?"

"No tengo madre, murió", mentí.

"Mejor, mucho mejor. Si peleas por veinte años
tendrás suerte de acordarte de esta plática. Daño
cerebral seguro. ¿Aceptas?"

"Por supuesto, ¿cuándo comenzamos?", le dije
convencido, esperando recibir todos esos castigos
para calmar una culpa que no conocía hasta esa plática.

Don Lupe me prestó unos botines y un cal-
zoncillo negro, me vendaron y me pusieron los
guantes y el protector y me subió al ring. En tres
minutos me habían hecho puré.

"Vas a necesitar más que eso, nos vemos mañana", me dijo entonces.

Con él aprendí que este es un negocio de disci-
plina, de puntualidad, de sudor. Eso es saber entrenarte, te enseña que en el box todos los días aprendes
algo nuevo si estás abierto a eso. De hecho las reglas
básicas de don Lupe no eran las del Sarampión,
aunque no las contradecían del todo. Cada quien
se atiene a sus bases y no puede negar la cruz de su
parroquia. El Cajetas había estado implicado, además, en un asesinato con otro boxeador, Tony Trujeque, de un líder sindical, Mascarúa. Trujeque
desapareció del mapa después de ostentar su recién
ganado dinero y en cambio el Cajetas siguió tem-
blando por toda la ciudad. Era todo un caso, había
inventado que peleó en el Mádrison (compró un

cartelito al ir a Nueva York y por poco lo matan por la mentira, según supe después gracias a un exmánager de box y locutor de radio, don Enrique Montero).

Don Lupe me regaló las dos fotos que me han seguido a las distintas paredes de mis casas, las mejores y las peores casas que he tenido han visto las mismas imágenes de mis dos boxeadores favoritos, Joe Louis y Rocky Marciano.

Nadie ha superado los récords de Marciano, cuarenta y nueve peleas, cuarenta y nueve triunfos y cuarenta y tres nocauts. Se dice fácil.

Don Lupe era un fanático de las estadísticas y me las hizo amar. Mucho tiempo después, viví como seis años en Nueva York lavando los pisos de un restaurante japonés y compraba con regularidad The Ring, la biblia del boxeo, sólo para seguir aprendiendo récords. A lo mejor es lo único que me ha dejado, un chingo de numeritos para recordar.

"¿Cuántas veces peleó Benny Leonard?", te preguntaba de pronto en un descanso don Lupe.

"¿Cien?", le contestabas, por no dejar.

"No tienes ni idea, doscientas diez y sólo perdió cinco veces, era un peso ligero estupendo, invencible entre 1917 y 1923. Willy Pep, un peso pluma cabrón, ganó sesenta y dos peleas al hilo, perdió por decisión la siguiente de diez raunds y volvió a ganar setenta y tres peleas. ¿Quieres competir por un título mundial alguna vez o quieres ser un campeón? Esa es toda la diferencia."

Don Lupe amaba sobre todas las cosas a Archi Moore, quizá porque uno termina queriendo a los boxeadores que triunfan cuando uno era niño. Don Lupe vio pelear a Jack Dempsey en México, no era

posible más sabiduría acumulada en treinta años
de ver peleas.

"¿Cuándo comenzó Archi Moore?", te preguntaba sabiendo que la cagarías en la respuesta.

"1940", casi le atinabas, calculándole un poco.

"1935, nocaut en el segundo asalto al invencible Piano Man Jones, Hot Springs, Arkansas. No
lo dejaron competir por un título mundial hasta el
52, los hijos de la chingada. Obtuvo la corona a los
treinta y nueve y la retuvo diez años. Pocos boxeadores compiten después de los cuarenta sin que se
los lleve el carajo. Ciento noventa y nueve peleas
ganadas y ciento cuarenta y cinco nocauts."

El Cajetas lo contradecía, el mejor de todos es
Sugar Ray Robinson, opinaba. Kilo por kilo el mejor boxeador del siglo: "Ese es más cabrón que
Moore".

Ya no le quedaban neuronas al Cajetas para
decir los números, pero don Lupe sí se los sabía:
"Sí. Entre 1943 y 51 Robinson ligó noventa y un
peleas sin perder. Una vez le preguntaron a Robinson si creía que podía lastimar a su oponente. La
respuesta es de primera, chingona: Puedo lastimar
a cualquiera, lo que me pregunto es si lo puedo lastimar bastante."

Con don Lupe aprendías que lo que te sirve
para sobrevivir en la calle, o en el ejército, como
con el Sarampión, no te sirve dentro del ring: "Muchos cabrones en la calle son perritos falderos en el
ring, aquí lo que se necesita es paciencia y no perder nunca los estribos. Control, ese es el punto de
quiebre, control con conciencia", decía.

De hecho, cuando entras por primera vez a un
gimnasio crees que puedes madrearte a todos, que

eres un cabrón bien hecho, y lo que te enseñan ahí es que hay otros más cabrones que tú. Y te lo enseñan a madrazo limpio, diciéndote que para vencerlos tienes que entrenar como loco. Si no lo haces seguirás siendo un perdedor, como afuera del gimnasio.

Las reglas básicas de don Lupe no eran sus números, con ellos sólo buscaba impresionarte, ganar tu respeto, hacerte saber que nadie entre esas cuatro paredes sabía más de box que él. Luego empezaba la verdad:

"No hay boxeadores naturales, eso es una mierda. Igual no hay bailarines naturales, tienen que practicar como pendejos, igual que los pianistas. El box es un combate donde dos centímetros marcan la diferencia, por eso lo primero es saberse defender. Sin defensa no hay ataque."

"La mejor defensa es el ataque", le dije la primera vez, sin medir las consecuencias.

"Atácame."

Lo hice y con un movimiento de piernas me esquivó y me tuvo a tiro: jab, gancho con la izquierda, derechazo. A la lona.

"¿Decías, chamaco? Aquí se acabaron las enseñanzas del Sarampión", pronunciaba el nombre con maldad y seguía: "¿Me entiendes? O estás dispuesto a volver a aprender o te lleva la chingada."

Entonces supe que tenía que escucharlo, que sobreviviría sólo si le hacía caso:

"Un golpe directo y te mueves a los lados, evítalo. Baja la cabeza para evadir un jab. Pon los guantes. Defensa."

Entonces venía el ataque con sus reglas de oro:

"El arma básica del box es el jab de izquierda. Mueve hacia delante la pierna izquierda, ajá, saca el brazo izquierdo hacia delante, ajá, y cuando vayas a dar el golpe tuerce el puño, ajá, hacia abajo los cabetes del guante. Otra vez. Más efecto. Otra vez. Ajá."

Luego me enseñó un derechazo de verdad, con ganas de cortarle la cabeza al hijo de la chingada de la otra esquina, el gancho de izquierda, los ópercots con ambas manos, mi arma letal.

Unos meses más tarde completaría su Nuevo Testamento del Box:

"Te he enseñado la ciencia, chamaco. El arte del box se aprende con el tiempo, y es el arte de la mentira. El box es el arte de la finta, del engaño. Haz que me golpeas, pero no lo hagas y me sacas de onda. ¿Te das cuenta, chamaco? Ajá. Eso es. Mientes con la finta porque tienes un segundo ataque preparado y ya me chingaste. Gancho izquierdo para darme en realidad un golpe corto, ¿entiendes? Así desbaratas cualquier estrategia y nadie en la esquina podrá saber qué piensas para aconsejarlo en los descansos. El box es el arte de la combinación. Sabes golpear, ahora tienes que aprender a combinar las secuencias de golpes."

Eso ya lo sabía por el ajedrez del Sarampión, pero no se lo dije para no herir susceptibilidades. También en eso había aprendido a mentir.

La neta que todo lo demás me lo enseñó la vida, y también a punta de madrazos y de mentiras.

Noveno raund

Abrí el segundo libro que me regaló Gavito.

Encontré una nota: "Ve directamente al libro XXIII, ahí te espera el primer cronista de box de todos los tiempos." Me picó la curiosidad y lo hojeé, primero.

La Iliada, Homero. Son versitos así como dificilones, huesos duros de roer. Me gusta un poco. Busqué la página que me indicó Gavito, Juegos en honor de Patroclo. Leí. Chale, está cabrón. Seguí leyendo por puro pinche orgullo, algo tenía que agarrar.

Esto lo escribí después, pero quise dejar constancia de lo que por mi cerebro estaba pasando mientras intentaba leer el pinche librito. Está cabrón. Son los funerales de un griego, Patroclo, al que queman con un chingo de leña, y hay unos juegos en honor del güey, que ha de haber sido un chingón. El promotor es un tal Aquiles, ha de ser el del talón. Yo creo. Y entonces, como dice Gavito, se cuenta una pelea de box. La primera, si he de creerle, que se dejó escrita, aunque ha de haber habido box desde que éramos cavernícolas.

Vi una película de Tintán, bien chistosa, sobre los cavernícolas. Me acuerdo. Pero ahora estoy contando lo que entendí del librote azul. Antes de la pelea y luego de que les cuesta un chingo quemar a Patroclo, al fin lo meten a una urna y hacen una pinche competencia de caballos, qué güeva. Gana un tal Menelao, pinche nombre de albur.

Al fin viene el box y se levanta un tal Epeo, hijo de Panopeo, sapiente con los puños, dice el libro. Un cabrón bien machito que reta a todos a ganarse la doble copa contra él. El único que se para es Euríalo, hijo de Mecisteo el señor Talayónida, que ya había sido buen boxeador (deveras, qué pinches nombres les ponían entonces).

Jugaban sin guantes. Voy a copiar esa parte, porque está chingona:

> Y ambos, en ciñéndose, fueron a mitad de la liza, y en alzando al frente las robustas manos a una, arremetieron, y se les mezclaron, pesadas, las manos. Terrible estruendo de quijadas se hizo, y corría el sudor doquier de sus miembros, y se lanzó Epeo divino, y la mejilla, al que en torno miraba, golpeó, y ya no mucho se sostuvo, pues se le rindieron los miembros preclaros. Como cuando un pez es volteado al hincharse el mar bajo el Bóreas, en la orilla cubierta de algas, y lo envolvió una gran ola, así él se volteó al ser tundido.

¿A poco no está pocamadre? Pinche nocaut. O sea que de ahí ha de venir lo de le dio una tunda. Pero el Epeo no era gacho y deportivamente lo alzó y lo sacó del ring, o de la liza, como le decían. Escupía sangre el pendejo: se metió con el mejor. Luego hay una lucha y unas pinches carreras, tiro de bala y flecha, como en las Olimpiadas. Pero me dio mucha flojera seguir leyendo.

No lo dice Homero pero lo pienso yo al leer su libro: Nunca bajes la guardia.

Y yo la bajé frente a Tomás Chávez.

"Enciérrate hasta que arregle todo esto con el griego", me dijo don Lupe. Y no me quedaba de otra. Digo, en tres días defendería por primera vez mi corona mundial como wélter. Si has luchado toda la vida para un solo objetivo puedes rendirte si quieres cuando lo has obtenido, pero en el box nunca lo hagas porque lo pierdes.

Y más pronto de lo que crees.

Me tiré en mi cama y me dormí. Mi abuelo siempre decía que como un bendito, sin siquiera moverme de donde me quedé en la cama. Necesitaba descansar, no pensar, no recordar, no ver.

Necesitaba volverme invisible.

Y lo logré mientras no vino la pesadilla.

Luego, otra vez, no pude dormir. Afuera don Lupe había puesto el radio y oía música. Hablaba por teléfono. Gil Jiménez, el Cajetas, temblaba peor que nunca.

Me daba miedo que empezara a llorar.

Me senté a esperar que don Lupe terminara. Hablaba en inglés, y a veces se le salía una pinche leperada en español. Entonces no conocía el inglés, así que no entendí un carajo. Sólo sabía que estaba muy enojado.

Y gritaba, en inglés, el cabroncito.

Mientras esperaba que terminara la conversación me fui. ¿A dónde? Tal vez por efectos de la droga a una pelea, de mis primeras internacionales, contra Adolph Pruitt, en el Mádrison Square Garden, como le puse entonces. Mi primer viaje a Nueva York en un combate pactado a diez raunds que perdí por K. O. en el segundo, en un jodido descuido. Tanto viajar para una chingada.

¿Por qué esa pelea de pronto? Qué le vamos a hacer, así es la memoria de caprichosa. Quizá porque fue una mala tarde. Y un boxeador no se puede dar el lujo de tener momentos malos. Es más, no puede equivocarse. Un pinche pítcher puede cagarla en la primera entrada, lo sacan y vuelve a jugar en tres partidos. Un futbolista puede ser mandado a la banca en el minuto diez y volver el próximo fin de semana por sus fueros. Un boxeador no puede darse esos lujos. Si lo hace es un pendejo.

Y yo aprendí esa lección contra Pruitt, al que manejaba Henry Armstrong, otro de los ídolos de don Lupe, otro boxeador de los treintas como Moore.

En un día como el de Nueva York pierdes dos años de entrenamiento y a lo mejor tu carrera no se puede recuperar nunca de esa madriza de la chingada.

Un primer raund donde ninguno se hizo daño, en el segundo Pruitt me pegó un derechazo después y un jab y me remató con un gancho izquierdo. Me caí como un montón de adobes.

¿Me daba miedo que pasara lo mismo ahora en Los Ángeles?

Sin embargo, "ahora" era distinto. Además, no era el retador sino el que a güevo tenía que retener su cinturón. Ahora sí me jugaba el pellejo.

Don Lupe terminó de hablar:

"¿Ya te acuerdas qué pasó?"

"Cuándo", le pregunté. Seguía peleando con Pruitt. Más bien seguía en la chingada lona, mojado y sangrante.

"Ayer y hoy, ¿qué chingaos hiciste, chamaco?"

"No lo sé."

"Tienes que saber algo. A ver, repite cada uno de tus movimientos, como si recordaras una pelea. Te fuiste a las nueve y veinte en taxi a casa de Marisol, hasta ahí me quedo."

"Ya te lo dije. Llegué, me tomé una copa, me aventaron a la alberca. Ah, antes oí a Daniel Santos y la Matancera y obligué a Marisol a cantar, lo que hizo enojar a su pinche semental."

"¿Y luego?"

"Un cabrón guarura me llevó a cambiar, me prestó ropa. Me bañé y bajé al despacho del hijo de la chingada. Ahí desnudó a Marisol y quería que me la cogiera, pero no pude."

"¿Y?"

"Pues luego le ordenó a Marisol que inhalara unas líneas de coca de una pecerota que tenía y le dijo que me enseñara a hacerlo y luego me embarró en el vidrio para que hiciera lo mismo con dos rayotas."

"¿Qué más?, ya todo eso me lo habías dicho en el camino de regreso del motel."

"Pues me inyectó una chingadera en el muslo y ahí se acabó el boleto. No me acuerdo de nada más hasta que me desperté con la camisa llena de sangre, la pistola en la cama y Marisol en el baño asesinada."

"Me dijo el griego que Tomás Chávez te denunció."

"Ya me cargó la chingada."

"El griego también tiene sus palancas. Te van a dejar pelear y luego, a la chingada. Derechito al tambo. Así que tenemos tres días para saber qué pasó y preparar tu defensa. El griego va a contratar a un abogado chicano que dice que te puede conseguir libertad bajo fianza, va a venir mañana a que le cuentes todo."

"Pero si no sé nada", le dije.

"Más te vale que te acuerdes y hagas memoria desde que saliste de la casa de Chávez con Marisol hasta que te quedaste dormido."

"Pero es que me quedé dormido desde el despacho de Chávez: me cargaron como bulto."

"¿Y el Chevrolet 51, no te acuerdas haberte subido en él?"

"No, ni madres."

"Pues vete a dormir, a ver si se te quita lo pendejo."

Me levanté como si ya me hubieran derrotado, como si fuera el último día de mi pinche y jodida existencia sobre el puto planeta tierra. No mames, me cae que se siente bien gacho no saber qué hiciste toda una noche de tu vida.

¿Cuando uno se duerme sueña de inmediato o pasa mucho tiempo antes? Se lo voy a preguntar a uno de los amigos de Gavito con el que juego dominó. Un día dijo que se dedica a estudiar cómo duermen los ratones y los despierta con toques eléctricos, como en las cantinas. Nomás que los pinches ratones no apuestan. ¿O sí?

Me dormí y me desperté, sudando como pendejo. ¿Cuánto tiempo estuve dormido? No tengo ni puta idea. Sólo sé que vi, clarito, cómo me trepaban al Chevrolet 51 y luego obligaban a Marisol a subirse los dos guaruras de su querido gángster.

¿Lo soñé, lo vi o lo inventé?

La escena ha vuelto durante treinta y dos años. A veces menos completa, muchas veces más grande. Siempre he pensado que no fue cierta, que me la inventé nomás para tener con qué llenar el hueco en mi cerebro. El pinche agujerote de la droga.

Y de la muerte.

¿O habrá pasado?

Se lo conté al abogado al día siguiente, junto con los pocos hechos que me había tocado vivir y que aún recordaba. Me dijo que no podíamos inculpar a Chávez, que sería un error del que nos arrepentiríamos toda la vida.

"No podré sacarlo libre nunca si dice lo de la inyección", opinó.

"¿Y entonces qué quiere, que me eche la culpa por algo que no hice?"

"No, alegaremos amnesia temporal, alguna lesión del boxeo. Déjeme pensarlo."

Don Lupe estuvo ahí todo el tiempo; si no, me hubiera chingado el pinche tinterillo que consiguió mi promotor. Mi mánager nunca estuvo de acuerdo.

"No sé de leyes, abogado, pero está cabrón, sería tanto como declararse culpable."

"Sí. No veo otra alternativa."

Lo despidió como si se fuera a quedar con el caso, pero don Lupe le volvió a hablar al griego y le volvió a gritar en inglés con las mismas leperadas en español. "El abogado no tiene ni puta idea", le dijo en español.

No me salvó la campana sino don Lupe, pero eso vino después, cuando me metieron preso.

Peleé y perdí. Fue una pelea injusta sólo porque yo no estaba en ella, era un pinche costal al que le pegaban. Resistió mi cuerpo. Sólo mi cuerpo, mi conciencia estaba muy lejos, nunca hubo punto de quiebre, estuve quebrado desde el primer asalto.

No me noqueó antes porque mi cuerpo sabía hacer lo suyo y la inercia de los putos músculos era mayor que mi pendejez.

Iniciamos con un raund que la prensa calificó de sensacional. Los dos combatimos como perros, los pies juntos como si bailáramos danzón, sólo que con furia. Vaillant golpeaba duro y hubo varios intercambios difíciles para los dos. En uno de ellos me golpeó la frente, yo creo que con el puto codo, no con el puño, y empecé a sangrar. No me importaba defender, a pesar de lo que me gritaba don Lupe. Douglas fue por mí, quería matarme de una vez y llevarse el cinturón. Ya no llevaba la cuenta de los golpes que logró darme, pero veía la pinche sangre cubriendo sus guantes. Me sabía derrotado y luchó doce raunds en uno. Vino la campana.

"No te preocupes, está cansado. Le están diciendo que se calme, que parece alguien que peleó ya treinta y seis minutos. Castígalo abajo, como sabes, chamaco y luego la combinación con ópercot. Tú puedes. No te preocupes por el corte, es superficial. Y sube la guardia, cabrón."

El segundo raund fue un poco más lento. La sangre me excitó, como si fuera un pinche toro. No sé qué me pasó, pero logré darle varias veces. Incluso se cayó y el réferi contó hasta seis antes de reanudar el combate. Poco me duró el puto gusto, el cabrón me cruzó con un derechazo que me tiró directo a las cuerdas y ahí quiso rematarme. Lo abracé como si fuera mi amigo, como diciéndole que tuviera piedad, que no era el mejor día para esa pelea. Pensaba además en que según el griego los policías, ganara o perdiera, me llevarían preso.

Veintidós peleas, diecinueve ganadas, menos la segunda, quinta y sexta. Dieciséis peleas invicto para venir a perder por culpa de la puta culpa. Nada más. Douglas vio cómo se me iba la fuerza o la voluntad o yo no sé qué chingaos y volvió a atacar.

El tercer y cuarto raund me atacó a morir. Yo intentaba pararlo con jabs, pero no tenía mucho ya que dar. Presionaba, atacaba sabiéndome débil, era un peleador inteligente el hijo de puta. Y yo un zombi, como en las películas del Santo, esos ejércitos de pendejos sonámbulos que siguen al pelón ojete del científico tuerto con los brazos extendidos como tomando distancias, ¿no?

En el quinto raund me aplicó un jab tan fuerte que me volvió a abrir la herida. La sangre saltó como si me hubiera cortado la yugular, mojándole la cara. Pinche negro, se veía cagado, todo salpicado. Me dio risa.

(¿Qué cosas, no? Uno puede miarse de risa en los lugares y las situaciones más extrañas.)

Ya casi no veía, aunque me limpiaba con el pinche antebrazo. El réferi pidió tiempo fuera e instruyó al doctor para que me revisara la puta herida.

"Can yu si ol rait?", me preguntó el pinche gringo.

"Que si puedes ver bien", don Lupe tradujo, aunque esa mamada ya la había oído.

Quince mil trescientos espectadores gritaban que acabara la pela o que me matara o yo qué sé. Era un solo pinche grito. No sé qué me pasó entonces, pero mientras me revisaban y le decía que sí al puto doctorcito, que no había pedo, me dio por buscar a Marisol en el público.

Digo, se me olvidó que se había muerto, que estaba más fría que el agua que me estaba echando el Cajetas. El réferi reanudó la pelea. Vaillant tomó la iniciativa.

Y entonces me puse a cantar, una canción de Güicho Cisneros que cantaban Los Dandys, así como si estuviera en la regadera: "Tengo una pena en el alma, tengo una pena de amor, desde que no puedo verte mucho he llorado porque yo tengo una pena en el alma, tengo una pena de amor. Cuando más pude quererte, sin detenerte te dije adiós, hay una cosa muy negra en tu vivir, que roba lo que ya fue mío, tu amor, tu dicha, tus besos, tu encendido corazón. Esa negrura que ronda por tu ser, tal vez sea un gran querer lejano que ya te pidió tu mano y tú acudes sin volver. Para mí todo es negro ya y en tinieblas vivo sin ti. Para mí tú eres negra ya y en las sombras ya te perdí."

¿O creo haberla cantado o tarareado? ¿Será? Pinche mariachi de mierda.

Siguió la pelea.

No mames, qué ojete. Golpe corto de izquierda y luego, como una bala, derechazo al otro lado de mi cara. Me tambalié como pinche judas colgado cuando los van a quemar en Sábado de Gloria y mareado recorrí todo el ring caminando hacia atrás, hasta que las cuerdas me salvaron del madrazo.

Derecha, izquierda, abajo, abajo, izquierda, derecha, arriba, arriba, golpe cruzado de izquierda a la cara con mi guardia baja, protegiendo el pinche estómago.

La lona. No pude ni meter las manos, caí como Marisol después del balazo.

¿Se lo dieron en el baño o en otro lado?

Oí de pronto el pinche balazo, así que no estaba tan dormido. Tirado en la lona mientras el réferi dice eit, nain, ten, oí el balazo dentro del cuarto. Estábamos dentro del cuarto.

¿Le habré disparado yo?

Los muchachos y don Lupe me llevaron a rastras a la esquina.

"Ya pasó, chamaco. No te preocupes, te vamos a sacar de ésta, ya me lo prometió el griego."

Me pusieron cuatro puntos en el corte antes de que me esposaran y me dijeran mis derechos, una pendejada de derechos esos de los gringos. Es una soberana pendejada decirte que tienes derecho a quedarte callado y que todo lo que digas puede ser usado en tu contra. Sólo faltaba que te dijeran que ya eres culpable y que valiste madre, que el juicio es un pinche trámite para joderte, deveras.

Lo bueno es que ni le entendí al gorila que me esposó y me llevó a la patrulla.

El griego había conseguido que fuera por detrás de los vestidores, sin prensa. Nada. No salió nada. Nadie en México supo que estaba yo en la pinche cárcel, entambado por güey.

Pensé que no saldría. California tiene pena de muerte, otra pendejada de los gringos, sentirse Dios y castigarte. Dicen que son muy modernos, chingones, pero siguen aplicando la ley del talión que me enseñaron en el puto catecismo: muerte por muerte, te chingas. Adiós, Baby.

¡Cuántas veces me he despedido de mí mismo en este puto cuaderno!

Décimo raund

Creo que oí decir a alguien que las verdades por las que se muere de joven son las mentiras de nuestra pinche vejez, el cabrón pago por seguir viviendo.

O por no haber muerto a tiempo, como Pedro Infante.

Me sigo contando la misma mentira desde hace treinta y dos años, desde que salí de la Prisión Federal de Los Ángeles. Pinche cárcel de mierda, como todas las putas cárceles del mundo. En el primer, en el tercer o en el quinto mundo, estar en chirona es culerísimo.

Otra vez el Libro Vaquero: "Es estar en la antesala de la muerte."

Suena chingón, pero es ojete.

El griego lo arregló, en parte. No pudieron encontrar mis huellas en el revólver y la historia que les conté veinte veces a treinta personas durante tres días fue, con sus putas lagunas, siempre la misma.

O la que el pendejo traductor que me consiguieron les dijo. A lo mejor él se aburrió y la fue cambiando muchas veces, acomodándola a las pinches circunstancias. Lo cierto es que no tenían evidencias y me dejaron en libertad, por falta de pruebas.

A Tomás Chávez nadie lo implicó en ese pedo. La única jodida fue Marisol, y ya no podía preguntarle qué había pasado, cómo se la habían chingado.

Estoy más seguro cada vez: no fui yo.

La autopsia fue más contundente que un derechazo: dos balas, corazón y cabeza, disparadas por un experto. A mí me hicieron la mentada prueba de la parafina y resultó negativa. Por eso no me inculparon, porque me vieron muy pendejo para disparar con tanta precisión.

No iba a andarles contando mis años en el ejército ni mi pinche grado de cabo. Desde entonces nunca he disparado un arma. Y en el ejército no maté a nadie. Nos hacíamos pendejos, no podíamos gastar municiones. Sólo en teoría sé cómo funciona una ametralladora o cómo se lanza una granada.

Mi máxima explosión ha consistido en encender cerillos.

Y no soy un tipo violento. La gente cree que los boxeadores somos gente agresiva, que andamos madreando a todos los güeyes que se nos ponen enfrente. Estaríamos pendejos. Un buen golpe de un boxeador experimentado a un pendejo en la calle puede costarle la vida, así que nos cuidamos.

Dentro del ring es otro pedo.

Regresamos a un México que me sabía derrotado, pero me perdonaba. No tenía ni puta idea de lo otro, gracias a los buenos oficios del griego y de don Lupe. Ni siquiera quedé fichado.

De todas formas me brindaron una recepción chingona en el aeropuerto, con mucha gente, mariachis, banderitas y gritos para saludarme. Era como si regresara un héroe que había perdido una pinche batalla, pero no la guerra. En la valla había una chaparrita buenona que me aventaba besos. Le di un billete al policía para que la llevara al coche.

Nalgas para una revolcadita, y ya me hacía falta.

Les pedí a todos que se fueran en taxis. Yo me llevé mi nave. Así nadie se iba a enterar de nada.

No cabe duda que la policía está "siempre en vigilia", sobre todo con una corta feria. Me la llevó lejitos el poli, donde nadie nos viera. Le abrió la puerta a Silveria, pinche nombre pero ya ni modo.

"Bienvenido campeón, se le extrañó en su tierra", buena despedida del oficial.

La vieja era vendedora en una zapatería de Tacuba. Buenas tetas, como para pasarse la navidad en ellas, chingao, me cae.

"Arrímese, mi reina, que no muerdo", le dije acercándome.

"Ay, campeón, es que me da pena."

"Pues entonces para qué tanto pinche beso en el aeropuerto. Ándele, no se chivee."

¡Qué pena ni qué pena! Como a las tres calles ya me había sacado la verga y me la estaba mamando.

"Ah, mi querida Silver, que bueno es estar en casa", le dije.

La fui a aventar a su cantón, por la Bondojo. No quiso que la llevara hasta su casa. Ni siquiera me acerqué. Ya era de noche y no había ni un pinche farol.

"Pásate atrás, reinita, y bájate los chones."

Me la cogí de a perrito, para disfrutar sus nalgotas. Empañamos los pinches vidrios. Pensé que me iban a agarrar los azules, la Silver gritaba como si la estuviera matando. Ninguna vieja me dijo tantas cochinadas: "Métemela, hasta dentro papito, cógeme, así. Dale, campeón, quiébrame. Más fuerte papito, sácame los ojos, culero. Así, hijo de la chingada, castígame, soy tu puta, cógeme. Más fuerte, ¿qué no eres hombre? Ay, que me matas Baby."

Resumo la pinche orgía porque hasta yo me asusto, me cae.

Llovía a cántaros.

(Esa es otra frase pocamadre, me imagino siempre a los pinches angelitos tirándonos cubetadas desde las nubes.)

Era el pinche diluvio. Pero la Silveria no quiso que la acercara. Le ha de haber dado pulmonía a la pendeja. A esta vieja sí no se le iba a olvidar mi autógrafo.

Fue la primera de un chingo.

Me había vuelto cínico, me importaba un pito lo que pasara, mi reputación, como decía don Lupe, la prensa. El pinche mundo se me podía acabar tan pronto como a Marisol, para qué hacerla de pedo.

Lo único que no me valía era boxear. Entrenaba como pinche orate, diez o doce horas, todos los días de la semana. Hay otros güeyes a los que les da por chupar al principio de la catástrofe, cuando se los empieza a llevar la chingada.

Yo sabía de sobra que me estaba llevando la chingada, pero que me faltaban muchos raunds como para mandarlo todo a la verga.

Así que entrenaba como loco. No hacía otra cosa que entrenar y coger. A ese paso iba a estar pronto en peso gallo, me dije. Pero don Lupe se encargó de la pinche comida y no bajé ni un gramo. Al contrario, pronto di los ochenta y uno reglamentarios, el semipesado.

Y con un pinche cuerpo bien formado, de horas y horas en el gimnasio.

Sudaba la droga, la culpa, la mierda que había vivido.

Pero no podía olvidar a Marisol. Varias veces le dije así a alguna de las viejas que me estaba parchando, y se encabronaban las pendejas, como si supieran qué pinche pedo había vivido el macho que tenían enfrente.

Por lo que había pasado para llegar ahí.

Pronto tuvimos una buena pelea, la primera de una serie, previas a la revancha, un pinche chino al que me jodí en un minuto y medio. Nunca volví a noquear a alguien tan pronto. Don Lupe dijo que el chino no era tan malo, pero que yo salí enojado, con ganas de matarlo.

"Lanzabas golpes por todos lados, alguno tenía que pegarle. No boxeaste con técnica, sino con los güevos. A ver si sacas esa pinche casta más seguido pero controlas tus pinches nervios. Parecías un molino dispuesto a triturarlo", agregó don Lupe.

El pinche chino perdió el conocimiento, pero lo recuperó antes de salir de la arena rumbo al hospital. Lo fui a ver mientras se recuperaba y me abrazó como si yo fuera su hermano y no el pendejo que casi lo mata.

Yo tenía que agarrar de nuevo mi cinturón, arrebatárselo al güey de Douglas que me lo chingó a la mala, cuando ni siquiera podía boxear.

En unos años, once peleas después, todo volvió a ser igual. Sin Marisol, pero igual. Entonces pensé que ya no quería pelear. Ni madres, me iba a retirar campeón.

"No friegues, chamaco, estás en la cúspide de tu carrera, once peleas invicto, tienes que aprender a defender tu título. Ahora ya te respetan, te tienen miedo."

"Ya no necesito pelear. Yo sólo lo hacía por el dinero", le dije.

"Para empezar la Normita te sigue exprimiendo, a ese paso en cinco años te vuelves a quedar sin un quinto, no la chingues. Pero no es por eso que boxeas."

"¿Entonces por qué, don Lupe, por qué otra razón dejo que me jodan arriba del ring?"

"Porque el pinche box es como un virus, una vez que lo contraes ya no puedes curarte nunca. Y tú naciste para boxear, qué le vamos a hacer."

Tenía razón.

"Un año más. Usted hable con Parnassus desde ahora. Un año más y me retiro", le dije.

Don Lupe ya no me hizo caso. Me había convencido por ahora y sabía de sobra que el cerebro de un boxeador es una pinche calamidad.

"Nunca le creas a un boxeador", me había dicho mucho antes, "siempre cambia de idea antes de dormirse."

En el Esto, en La Afición, en todos lados volvían a sacar mi foto en la portada. La frase la acuñó Sony Alarcón: Baby Cifuentes, el chamaco sensación.

Hasta me recibió el Presidente en Los Pinos, pinche propiedad más chingona que se cargan los culeros, aunque sólo les dura seis años.

Yo qué hablo, si a mí también me duró lo que al triste la alegría toda la lana, el poder, las viejas. ¡La pura vida!

"¿No le gustaría ser diputado, campeón?", me dijo Ruiz Cortines con su corbatita de réferi.

"Ahorita sólo me interesa el deporte, señor Presidente". Yo ya había aprendido algo de modales en el ejército, aprendí que no se le dicen picardías a un superior.

"Luego, cuando se retire. Es usted muy popular, muy querido."

"Pero a los políticos nadie los quiere, para qué lo echo a perder."

Ya la había cagado, pensé, por no pensar lo que digo.

"No, campeón, no piense así. ¿Se imagina todo lo que puede hacer por su gente?"

"Pues la mera verdad no, señor Presidente, nunca lo había pensado."

"Muchas cosas. Usted tiene lo que les falta a muchos, en usted cree la gente, campeón."

"Déjeme pensarlo entonces", le dije para no seguir chingándolo, sabiendo que a estos güeyes siempre se les olvida lo que prometen.

Me saludó y nos tomaron un chingo de fotos en ese momento.

Nunca me volvió a hablar, ni a invitar a su casa. Se siente chingón saludar a un Presidente. Quién sabe por qué, pero se siente bien chido.

Un día le pregunté a don Lupe si ya no se acordaba de Marisol, si podía dormir tranquilo.

"Todos los días, chamaco, no puedo dejar de ver la cara de tu muñequita ahí tiradota en el baño. Estaba retejoven la muchacha."

"¿Y no piensa que tal vez yo fui el que se la chingó?"

"Otra vez la mula al trigo, chamaco. Ya hemos platicado esto como unas mil veces, ¿no?"

"Pues sí, don Lupe, pero me sigue jodiendo la pinche duda. ¿A usted no?", le dije.

"Claro que no, Rigoberto. Si te la hubieras chingado hubieran tenido pruebas en tu contra y te hubieran encerrado para siempre, o te hubieran mandado a la pinche silla eléctrica. Sobre todo con lo que te odiaba Chávez. Hizo hasta lo imposible para que te pudrieras en la cárcel, ¿sabes?"

"¿Y luego?"

"¿Pues cómo que luego? Le debes la vida al griego. Él tiene amigos en niveles más altos que el marido de Marisol."

"No era su marido, don Lupe."

"Bueno, pues su padrote, como dices."

"¿Y por qué no lo metieron a la cárcel a él, entonces?"

"El griego no iba a gastar toda su pólvora en infiernitos, chamaco. Lo único que le interesaba era sacarte del atolladero. Y lo logró bien rápido. Deberías estarle agradecido eternamente y dejarte de esas pendejadas de retirarte. Le debes un chorro de peleas al griego."

"Pues eso sí."

"Y a mí, que me metiste un susto del carajo, pinche chamaco."

Parte del encanto de don Lupe era que siempre parecía estar de vuelta de todo. Lo que para uno eran los peores problemas, los más cabrones, él ya los tenía previstos, había ido y vuelto antes que tú de la bronca. Y tenía una solución para todo.

Siempre pensé que era porque estaba ruco, porque había vivido un chingo de cosas bien culeras y todo eso le había enseñado a ser así, sereno como ninguna otra persona que haya conocido.

Ahora sé que no.

El año pasado llegué a la edad que tenía don Lupe cuando pasó todo lo de Marisol y yo sigo siendo un vulgar pendejo. La vida no me ha podido enseñar porque las pocas neuronas que me quedan después de los chingadazos, como decía Normita, sólo me sirven para despertar en las mañanas, miar calientito y volverme a dormir cuando se quita el sol. ¿Será?

Ni hablar, me cae. Don Lupe no me iba a dejar irme del box tan fácil y hasta el pinche Presidente me quería hacer diputado.

¡Qué pronto se puede olvidar un asesinato!

Sí, ya lo sé, yo no la maté. ¿Y qué más da? Marisol está igual de muerta si fui yo o si fueron los guaruras de Chávez o si fue el puto de Chávez el que jaló el gatillo dos veces: pum, pum, nos vemos en el cielo, mi vida.

Un mánager se lleva, normalmente, el treinta por ciento de las ganancias del boxeador, o por lo menos de lo que le dicen que gana, porque muchos pinches boxeadores nomás firman el contrato y ni saben leer. El otro diez por ciento se lo lleva el entrenador o los ayudantes y al que se chinga en el ring le queda el sesenta por ciento de la lana.

Con lo que ganamos en la gira para la revancha y la pelea por el campeonato don Lupe se compró una casita en casa de la chingada y un aparato de cine con un chingo de películas de las peleas que más le gustaban.

Se lo consiguió Parnassus, con las cintas.

Entonces le dio por hacer funciones privadas de cinebox, así le decía. Vimos algunas peleas como cien veces, hasta que se quemaba la película y mentaba madres. Pero el Cajetas, así de jodido y tembloroso se las arreglaba con tijeras y diúrex y la volvía a pasar al rato. El Cajetas era su pinche cácaro.

Desde que compró el aparato de cine entrenábamos dos veces: una con los guantes y otra con la cabeza.

"Aquí sí vas a aprender a usar la choya, chamaco. Fíjate bien en esa técnica. ¿No te dije que Dempsey era un genio?"

Era la batalla más importante jamás librada, decía don Lupe: 14 de septiembre de 1923 en Nueva York: Jack Dempsey contra el argentino Luis Firpo. El primer raund está considerado uno de los mejores del siglo, nos enseñaba a todos.

La película era malísima y parecía que los boxeadores saltaban en lugar de moverse por el ring, pero aún así le encantaba verla. En tres minutos y cincuenta y siete segundos el ciclón voló a Firpo. Fue tan rápido que nadie puede recordar todo lo que se vio.

"Eran dos salvajes intentando matarse, dos pinches bestias contempladas por ochenta y cinco mil almas. La batalla de todos los tiempos, nunca antes vista y nunca repetida", decía don Lupe.

Firpo era un gigante de miedo pero apenas sonó la campana Dempsey se levantó de su esquina y fue a asesinarlo. Un gancho de izquierda fulminante. Firpo contraatacó y sacó de la nada un izquierdazo de miedo a la barbilla: directo.

"Otro hombre se hubiera quedado sin cabeza. Cualquier otro hombre. Era como estar contemplando una lucha entre cavernícolas. Uno dudaba que hubiera habido civilización, progreso, votaciones y toda esa mierda entre los hombres de las cavernas y esos dos boxeadores. El golpe fue demasiado cercano. Si Firpo hubiera estado diez centímetros atrás, Dempsey nunca se hubiera levantado. Se le doblaron las rodillas, se tambaleó y cayó sobre el cuerpo del argentino. Se le abrazó y el otro desesperadamente quería quitárselo de encima. Cuando le preguntaron al campeón por ese primer raund decía no acordarse de un carajo. Todo lo que sabía, todo lo que había aprendido del oficio se le olvidó de golpe. Y era una locomotora, lo atacó sin piedad, izquierdazo a la cara y Firpo a la lona."

Lo repetía como si no lo hubiéramos visto, pero lo sabíamos ya de memoria: el réferi contaría hasta nueve, aunque se detuvo antes de que Firpo pudiera levantarse y ponerse en posición.

La furia, otra vez la lona. Se levantó, consiguió pegarle un derechazo a la barbilla del campeón sólo para recibir un derechazo que lo derribó. Otra vez arriba, otra vez directo a la mandíbula de Dempsey que se detuvo con las manos en el suelo. Arriba y Dempsey le propina un pinche puñetazo de miedo. Otra vez vence la cuenta y se levanta. Dempsey se va a las cuerdas.

Seis golpes de Firpo antes de que sólo quedaran él y el réferi en el ring.

A Dempsey lo salvaron los periodistas que recibieron su cuerpo. Los mismos periodistas que lo ayudaron a subir de regreso. El réferi contó hasta nueve, pero el campeón seguía vivo y empezó a golpear y golpear a Firpo hasta volver a tenerlo en la lona.

Sonó la campana, pero Dempsey no la escuchó y fue tras Firpo a su esquina, amenazándolo por huir. Antes de que se mataran el réferi logró hacerle saber al campeón que el raund había terminado.

"Cinco veces en el suelo Firpo, una Dempsey, más la salida del ring y aquella en que se detuvo con las manos. Más de cien golpes, noventa de ellos aterrizaron en las humanidades de los boxeadores", otra vez la pasión de don Lupe por los números.

Pero Dempsey no sabía ni siquiera dónde estaba su esquina hasta que Kearns lo golpea con una bolsa de hielo. Luego las sales, después de que nadie las encontraba.

El segundo raund es distinto, el primero en atacar es Firpo, Dempsey lo golpea abajo del corazón y luego en la cara. Otra vez a la lona y otra vez se levanta a los ocho segundos. Izquierdazos, ganchos a la cara con precisión. Firpo resiste como una montaña hasta que llega una combinación mortal: izquierdazo a la mandíbula y gancho derecho al centro de la cara.

La película es terrible: sangra de la nariz y la boca y parece muerto mientras el réferi llega a contar hasta seis. A la cuenta de ocho intenta levantarse, sin éxito. Y cae con un ruido cabrón. Nueve, diez, fuera. Eran dos boxeadores sobrehumanos.

Así siempre me he imaginado que muero y que alguien cuenta mientras el charco de sangre se hace más grande y yo ya no puedo, de plano, respirar.

Onceavo raund

¿Viene a cuento el cinebox de don Lupe o ya no sé qué más seguir escribiendo? Hasta ahora Gavito ha leído cada uno de mis raunds. Él insiste en llamarlos capítulos y ha opinado algo de cada uno, como si estuviera escribiendo un libro y no unos pinches recuerdos deshilvanados y rotos.

No me interesan sus opiniones, ni las de sus amigos.

Y sí viene a cuento porque en esas sesiones aprendí del box lo que no puede enseñarse golpeando: que es una forma de vida. O un virus que contagia todo lo que haces, como decía don Lupe. También eres un boxeador fuera del ring.

Estás preparado para que no te duela nada, para recibir los golpes poniendo la otra mejilla, como nos decían en el catecismo. Pero se aprende a controlar la pinche furia, la puta impotencia, la jodida rabia.

Y descargas todo tu coraje en un solo golpe estudiado, planeado, y esperando con una pinche paciencia de velador de fábrica, me cae.

Esperas a que el otro baje la guardia y entonces te lo chingas para siempre, para que nunca pueda levantarse.

Yo estaba aguardando el momento para regresar con Tomás Chávez y noquearlo. A la chingada Tomás Chávez. Pero sabía que era un empresa difícil, una pelea de campeonato. Para eso me servían todas las películas, todas las peleas del siglo, para saber la estrategia con la que iba a superarlo.

Entonces comencé a buscarlo.

No voy a hablar de eso ahora, no es tiempo. Y qué güeva, además, recordar el pinche trabajo que me costó ir estudiando a mi rival hasta tenerlo a punto, descuidadito para cogérmelo.

Fueron muchos años, además, en que no se me ocurrió hacer nada. No sabía por dónde. Digo, no pasé de tener sus direcciones, las placas de sus automóviles y una cierta idea de los lugares en los que le gustaba divertirse.

Así pasaron como ocho años, vino y casi se fue el box y no encontraba la llave para abrir la puerta de la desgracia de Tomás Chávez. Salió chingona la frase, ¿no?

Además de El Libro Vaquero, leo siempre El Libro Semanal, que tiene más pasión aunque menos aventuras. Leí apenas una que se llama Sometida. La vieja se llamaba Gisela, veintitrés años y buenísima, pero divorciada, con hijos, con un ex-marido corrupto y el típico galancito de mierda que termina casado con ella después de quitar del camino al padrote que la molestaba. ¿Por qué no será tan fácil en la vida chingarse a los culeros?

Porque los culeros tienen siempre poder. Yo tenía que buscar, entonces, a alguien con el mismo poder, igual de culero.

"Siempre hay uno más cabrón para todo cabrón en la vida, esa es una regla de oro no del box, sino de la sobrevivencia", me dijo el Sarampión un día en que, para variar, algún superior me había jodido en el campamento.

Por el box yo no me había vuelto rencoroso, y por cuates como el Sarampión, me cae, que son como los papás que nunca tuviste. Así fue el buen don Lupe, aunque más exigente y más cabrón. El que me ayudó fue Salomón Paleta, ya era famoso por sus contactos con el narco en el sur del país y con Colombia. Sólo él podía echarme una mano, aunque me arriesgaba a que fueran amigos. Pero no fue así.

Siempre he pensado que Sal también se lo quería chingar, porque le pareció divertido que yo quisiera chingarme a uno de los más cabrones entre los de su gremio. Paleta sabía no sólo cómo, sino cuándo.

"¿Te lo quieres chingar solito como Chanoc? Digo, porque entonces ni vale la pena que sea tu Tsekub Baloyán."

"No me interesa quién se lo chingue, Sal, sólo quiero verlo tragarse su propia mierda", le respondí.

"Ese güey no quiere a nadie, ya lo viste con Marisol. Sólo le interesan las viejas para que lo vean sus amigos y para lucirse. El pendejo es puto."

"No mames, ¿deveras? Dime que no hablas en serio."

"Todos lo saben aquí, campeón. A Tomás Chávez hasta las piedras le gritan puto. Me cae. Le gustan los escuincles, además. A lo mejor por eso te salvaste, digo, ya no te cueces al primer hervor, mi Baby. No sabes qué pinche gustote me da verte, campeón. La neta. Tú eras como mi hermano en la mierda del ejército, el único con quien podía hablar, empedarnos, soñar. Eras a toda madre. ¿Te acuerdas lo que te pasó con el sargento Sepúlveda?"

"No la chingues, mejor ni nos acordamos, ¿sale? Era un pinche puto."

"Pues así, chamaquitos y pendejos son los que le gustan a Chávez. Sus hombres se los consiguen por las calles y luego se los parcha en hotelitos mierderos donde luego de desflorarlos se los chinga. Quién sabe cuántos deba el pendejo. Gente así desprestigia la profesión, ¿no crees?", se carcajeó en mis narices. Salomón Paleta se había vuelto gordo y feo. Era como un ídolo del Museo de Antropología, pero se reía como pinche orate.

"Yo te lo voy a ir preparando y cuando ya sea el tiempo te aviso, para que nos lo chinguemos entre los dos."

"¿Por qué me quieres ayudar tan fácil, Sal?"

"El pendejo trabaja con la protección de Óscar León Toledano, ¿te acuerdas del culero?"

"¿Cómo se me iba a olvidar?"

"Bueno, pues llegó a general de división y lo pusieron en el departamento de narcóticos. Hay que pagarle un chingo para que te deje operar. Está forrado de lana el pendejo. Y es socio de Chávez, mita y mita. A lo mejor hasta son igual de putos, ¿quién sabe?"

Cada quien iba por lo suyo en esa venganza. Parecía que iba a estar chingona.

Salomón me regresó a la capirucha en helicóptero, como magnate.

"Yo te busco, campeón. No te arriesgues conmigo."

Seguí peleando, era lo único que sabía hacer bien. Don Lupe, el Cajetas, el griego. Puta, éramos como una familia. Salvo el promotor, los demás íbamos solos, solteritos, y no nos importaba una chingada más que el box. Tal vez por eso nos hicimos inseparables.

Una noche los convencí de regresar al Tenampa.

"Te trae mala suerte ese lugar, Baby", intentó disuadirnos don Lupe.

Pero a mí se me había metido entre ceja y ceja. La verdad quería buscarme mis cebollitas para llorar. Hay veces en que uno es así: está bien, se siente chingón, nada le molesta y va y se busca cómo joderse la vida, nomás por diversión, porque es muy aburrido sentirse bien, porque le falta emoción.

Esa noche yo buscaba a Marisol y estaba dispuesto a todo con tal de encontrarla. En donde fuera, con quien fuera.

Terminamos en el cabaret, hasta las chanclas, recordando para olvidar, qué pendejos.

Fue una noche a toda madre, inolvidable. Música, viejas, tequila, a coger y a chupar que el mundo se va a acabar, ¿no?

A mí me gustó una vieja ya entradona en años, no una chavita como las otras veces. Estaba en una mesa con otras tres chamaconas. El mismo truco de la botella de champán de parte del campeón. Ahora no había padrote que temer, o al menos eso parecía.

Musicón, esa noche. Benny Moré y su orquesta. El Negro Vivar en el trombón, Generoso El Tojo

Jiménez en el trombón. Pinches cubanos chingones, me cae. La vieja se llamaba Ariadna, como Ariadna Welter, pero ésta se pintaba el pelo de güera. A leguas se veía que no era natural.

Ariadna tenía ganas esa noche. Culito caliente, se le veía. Y yo también, qué pinches ganas de coger como Dios manda. Aceptó bailar conmigo, y sabía la cabrona moverse para que se te parara.

Benny Moré cantaba: "Por qué pensar así, por qué sufrir así, si nunca te hice mal, por qué vivir así pensando que hay rival que pueda robarme tus besos, tu amor y tu encanto, que pueda causarme tristeza, dolor y quebranto. Por qué debo dejar esta obsesión por ti. Por qué debo pensar que todo lo perdí." Chingona la canción.

Le tocaba las nalgas con mi mano a Ariadna y se dejaba hacer. Pocamadre, pensé. Un clavo saca a otro clavo y esa vieja tenía clase, no era como las otras que me había cogido desde Marisol. Estaba buenísima y bien elegante, vestido negro, collar de perlas, zapatos de charol con los tacones altísimos, casi unas agujas.

Seguimos bailando la otra canción: "Me miran tus ojos y siento en el alma algo muy profundo, y quiero callar. Pero es imposible ocultar más tiempo este amor demente que me va a matar." Ariadna me tarareaba al oído la letra:

"Y darnos un abrazo que sólo la muerte pueda separar."

Me dio miedo pensar en lo que decía la canción, o recordar.

Nos sentamos al terminar. Pero Benny Moré estaba dispuesto a chingarme la noche: "En este bar te vi por vez primera, en este bar te di la vida entera. En este bar se hablaron nuestras almas y se dijeron cosas deliciosas. Por eso vengo siempre a este rincón."

La camarera de mi amor. Me dio risa, carajo.

"Vámonos a Acapulco", le propuse a Ariadna.

"¿Cuándo?", preguntó.

"Ahorita, agarramos el auto, viajamos toda la noche y mañana amanecemos desayunando en la playa, ¿qué dices?"

"Pero ni siquiera te conozco, Baby."

"Ya tendrás tiempo, ándale, no seas apretada, Ariadna. Mandemos todo a la fregada por unos días. ¿Estás casada?"

"Divorciada desde hace seis meses."

"Ya ves, estamos en las mismas condiciones y borrarte de mi mente no he podido", como dice la canción.

Se rió, pero no soltaba prenda.

"Invítame una copa en tu mesa, mientras lo pienso."

"Órale, pues."

Le hice una seña a don Lupe para que me acompañara al baño después de ayudarle a Ariadna a sentarse a mi lado.

"Estás muy borracho, chamaco, no puedes irte manejando hasta Acapulco."

"No tengo pelea hasta dentro de un mes. Déjame irme unos tres días, ¿qué te cuesta?"

"Pues sólo que vaya contigo; yo no chupo, ya ves que estoy jurado", me dijo.

"Sale, nos vamos juntos, pero luego te pintas de colores, ¿de acuerdo?"

"¿Pues qué creías, que me iba a quedar viendo cómo coges? No chingues, chamaco. Es muy tu vida. ¿Ya te enculaste de nuevo o es como las otras?"

"Como las otras, don Lupe, nada serio", dije.

Ora faltaba convencer a la güera buenísima de la Ariadna.

La empecé empedando un poco, sobándole los muslos por encima de la falda, acariciándole la cara. Pero las pinches manos de un boxeador no están echas para la ternura, sino para el amor salvaje, más animal.

La volví a sacar a bailar, sólo para darme cuenta de que el champán hacía sus efectos de manera correcta sobre los reflejos de Ariadna. Esa vieja, ni con sales se despertaba de la peda. Volví a la carga: "¿Me acompañas a Acapulco, entonces?", le pedí.

"Pero te vas a portar como un caballero, ¿verdad?"

"Hasta que lleguemos al hotel, te lo prometo."

"¿Y después?"

"Después no me pidas que sea decente, porque te aburrirías horrible. Y yo quiero que te diviertas y que goces, muñeca."

"Ay, deveras que me da miedo, pero tampoco puedo llegar en este estado a la casa, mi tía me mata."

"Entonces, ¿aceptas?"

"¿Qué crees, amorcito? Un ejemplar como tú no se deja pasar tan fácil. Le voy a decir a Martha que le avise a mi tía que me quedé con ella, pero que me sentí mal y me quedé dormida. ¿Regresaremos mañana?", señaló a su amiga.

"Cómo crees, dile a tu amiga que mejor le diga a tu tía que se fueron a Acapulco. ¿No estás grandecita para pedir permiso?"

"Pues sí, la verdad. Pero quiero mucho a mi tía y no me gustaría darle un disgusto."

"Pues órale, te espero."

Don Lupe había arreglado todo: el viaje, la suite en Las Brisas con alberca privada, la de siempre. Pocamadre, me cae, tener un mánager así... Y lo prometido es deuda, deveras. Pedimos de desayunar en el cuarto, y antes de que llegara el servicio ya nos habíamos tirado al agua, semidesnudos, nomás con calzones. "¿Cómo crees? Me da pena. Déjame los calzones aunque sea", dijo.

Ya dentro de la alberca se los quité a mordidas, buceando. Tenía un chingo de pelo, como me gustan las viejas, con el montecito abultado como papaya.

Le metí un dedo, dos dedos. Luego la lengua, pero casi me ahogo. La saqué como si fuera un palillo y la tiré en el cheslón. Sabía a requesón, pero sabroso.

Se lo dije:

"Ay, no me digas esas cosas, que me da vergüenza. No seas así, síguele. Me gusta", me aparté.

Se la chupé como diez minutos, con los dedos dentro de su papaya que parecía un pantano, toda mojada y pegajosa. Rica, la vieja. Luego se vino pero era como si se fuera, porque tembló cabrón. Me gustan las mujeres que gritan, pero Ariadna sólo gemía y gemía y se movía como licuadora. Se siente rico mamársela a las viejas y que se vengan y verles los ojos que están en otro pedo. Me tiré a su lado, la vieja no podía ni respirar y eso que estaba bien apretada en el bar.

"¡Qué rico!, de verdad que es sabroso estar contigo, Baby."

Así nos la pasamos toda la mañana, bebiendo champán, comiendo uvas y queso y cogiendo como Adán y Eva en el pinche paraíso, como dos bestias a las que les vale madre el mundo, o Dios.

A la chingada lo que no sea coger, ése era nuestro himno.

Se ve que la vieja tenía su experiencia y nomás se había echo la recatada. Yo ya no sentía la verga, pero la tenía tiesa como pinche astabandera.

Ariadna ya había perdido la pena y gritaba y se venía y quería seguir, pinche vieja insaciable.

"Métemela por atrás", me dijo.

Estaba dura y le dolió. Nunca le había metido la verga a una vieja por el culo. Lo tenía apretado y negro como una pinche cueva.

Fue a la charola del desayuno y se untó mantequilla por todo el hoyo, me daba miedo que se fuera a cortar con las pinches uñotas rojas, pero se las metía adentro con bolitas de mantequilla.

"Prueba ahora, Baby. Métemela con fuerza."

Se siente bien rico por el culo. Y ella apretaba ahí sus músculos y me sacaba la verga y gritaba que ahora sí la iba a matar, que era un cabrón, pero seguía aprieta y aprieta el hoyito.

Yo creo que nunca había cogido como ese día.

Me dormí toda la tarde haciéndole honor a mi nombre de batalla: como un pinche bebé, abrazando a Ariadna, desnuda, tocándole las chichis con mis manos, los pezones ya suavecitos, morenitos, con dos pelos en el izquierdo, cerca de la teta.

Soñé con la pinche Marisol, que no me dejaba coger en paz.

O había sido culpa de Benny More: "un abrazo que sólo la muerte pueda separar."

Me desperté asustado, con la cara de Marisol llena de sangre y sus ojotes como platos que me veían con rencor.

Pinche Ariadna, ni se dio cuenta, ¡cómo roncaba la cabrona!

Doceavo raund

Uno se la pasa toda la pinche vida boxeando con su sombra. No hay tregua, ni cuartel. Ahí viene, junto y no te deja en paz, la muy pendeja.

Más vale vivir en la pinche oscuridad, la más total y completa oscuridad, como la de una noche sin luna, para no verla nunca más, recordándote todos tus pinches errores.

¡Hija de la chingada!

Después de esa cogida sensacional, de campeonato del mundo, quince raunds sin parar, dormimos como recién nacidos. Y nos quedamos tres días en Acapulco, yendo a la playa a nadar, aunque también nos metíamos a la alberquita de la suite cuando teníamos calor, comíamos ostiones recién abiertos, almejas, se retorcían las muy culeras con el limón, todavía vivas, y luego te las echabas al buche, babosas, con sabor a agua de sal.

Riquísimo.

En las noches volvía la pesadilla: Marisol viéndome como encabronada, como reprochándome que me estuviera acostando con Ariadna.

Estuve a un pelito de enamorarme de la güera.

Pero los ojotes de Marisol me lo prohibieron.

Casi no podía dormir pensando en ella, en la sangre, en el culero de Tomás Chávez y yo sin poder encontrarlo y sin darle su merecido.

Esa es otra frase chingona, ¿no?: "Entonces Rigoberto se coloca frente al hombre maldito sólo con sus puños desnudos y descarga toda su ira, su coraje sobre el cuerpo de Tomás Chávez, dándole su merecido y mandándolo a mejor vida."

No, si mis anécdotas son como de radionovela de la XEW, me cae.

Recuerdo un programa que me gustaba mucho, que me ponía bien querendón con la Normita.

Suena el piano, así como cachondo:

"Éste es el Momento Romántico de Colgate, un programa especialmente hecho para que usted empiece a soñar. Con Juan García Esquivel, su piano y su música. Es un obsequio de la Brillantina Buqué Colgate que pone en su cabello el brillo sedoso que lo hace más bello."

Saluda García Esquivel, da la bienvenida, siempre igual:

"Use Brillantina Buqué Colgate, que contiene lanolina. Úsela diariamente. ¡Qué bien peina, téngala siempre en casa!"

Y el piano, de nuevo.

Luego una conversación, que siempre he recordado, sobre el amor. ¿Cómo iba? Ya:

"Oye, Juan, bonito el topacio que llevas en la corbata."

"Las apariencias engañan, Edmundo."

"¿Por qué?"

"La piedra que llevo es un zafiro, pero bajo la luz verde del estudio la has confundido con un topacio."

"Sí. Creo que tienes razón. Todo cambia, depende de la luz. La vida misma no puede estarse quieta y... todo lo transforma."

"Y también nos cambia el amor, nos llega silenciosamente y cuando menos lo pensamos, ya nos ha transformado el corazón y nos hace sentirnos distintos; más nobles, más fuertes, más buenos, quizá."

Entra al aire Farolito, de Agustín Lara. Es el piano. Nadie canta.

Yo abrazo a Normita, seguro de que lo que dijo García Esquivel sobre el amor era una verdad del tamaño de la Arena México.

¿Será eso el amor? Porque si es así entonces no tuve ni puta idea del amor. Nunca he amado. Digo, te enculas y también te sientes más noble, más fuerte, más chingón. ¿Cómo terminaba la plática?:

"Una pregunta: ¿crees que el amor en realidad nos haga buenos?"

"Ya lo creo, gracias al amor sentimos que todo es distinto. Y en realidad somos nosotros los que al vivirlo, vemos un aspecto diferente en todas las cosas."

"Es cierto. Los árboles son siempre los mismos, la hierba crece como siempre y sin embargo cuando sentimos el amor olvidamos los aspectos tristes de la vida y embellecemos todavía más las cosas que nos parecen bellas, ¿no es así?"

Un poco de piano, de nuevo. Y luego el comercial. ¿De qué cosas me acuerdo?:

"Embellezca su pelo lavándolo con el nuevo champú Halo. Halo es efectivo para todos los tipos de pelo. Si su pelo es reseco, lávelo con shampoo Halo. Note cómo queda sedoso, brillante, perfumado. Si su pelo es grasoso, lávelo con shampoo Halo, porque Halo lo deja más suave y brillante. Compre mañana mismo shampoo Halo. Halo revela la belleza oculta de su pelo."

Y el piano para terminar:

"Y nos despedimos de ustedes, amigos, satisfechos de haberles llevado una vez más la poesía que aviva los ensueños y la música inolvidable de otro Momento Romántico; se despide su amigo García Esquivel. Así ha terminado otro Momento Romántico ofrecido por la Brillantina Buqué Colgate, que pone en su cabello el brillo sedoso que lo hace más bello. Nos vemos a la próxima a las once de la noche."

"Filosofía barata llena de anuncios, quita eso", me dijo Gavito cuando leyó cómo escribí, y casi de memoria, el Momento Romántico.

"Será filosofía barata, Gavito, pero en esos momentos, cuando Normita y yo oíamos el programa nos daba por estar bien acaramelados, pegaditos el uno al otro, dándonos picoretes como novios en la Alameda. ¿Tiene algo de malo sentirse enamorado?"

"No, Baby, no digo eso. Sólo que no coincide con tu manera de ver las cosas, quítalo, deveras, no seas pendejo."

No lo voy a quitar, alguna libertad tiene que quedarme, ¿o no? Aunque sea un jodido muerto de hambre. Según Gavito, un pinche pobre no tiene derecho a pensar bonito del amor.

O tendrá razón y me habré puesto tan ruco que ya me da por llorar con los recuerdos que llevo de Normita, del Momento Romántico.

Yo sí pienso que el amor es el más noble sentimiento que ha movido al mundo, como decía García Esquivel. No voy a cambiar mi manera de pensar sólo porque a mí nunca me tocó el amor. Así es, uno tiene suerte con las viejas o con el dinero. No se pueden las dos cosas: viejas y éxito, pues ni madres.

Y no voy a ponerme a chillar porque a mí la suerte me salió alrevesada y tampoco me tocaron muchos años de morlacos y diversión. Porque eso sí, con el dinero se puede uno comprar viejas y llevárselas a coger hasta Acapulco y sentirse bien macho y que el puto mundo no lo merece a uno. ¿O no?

¡Qué chingaos! No lo voy a quitar.

Así que terminaron mis días de idilio con la Ariadna. Tenía que regresar a entrenar para la próxima pelea, que sería en Japón, con un pinche coreano flaquito que se veía poca cosa en las fotos pero que don Lupe aseguraba que nunca lo habían noqueado. Don Lupe se encargaba de recordarme que debía regresar, me hablaba dos veces al día por teléfono. Nos fue a dejar a Acapulco y nomás se quedó a dormir una siestecita, pero no en Las Brisas, le chocaba ese hotel de fifís, como le decía. Él se quedaba en el San Francisco, en la costera, cerca de Hornitos. No, si entonces Acapulco era otra cosa, a todo dar. Hace poco vi una noticia en la tele de un huracán, el Paulina, que se jodió a todos los pobres de Acapulco, como siempre, y está cabrón, hay un chingo de hoteles, de casas, de cabrones por las playas. ¡Qué feo! Cuando yo iba a Acapulco era casi virgen, chingón, más solito, y podías estar con tu vieja sin que te jodieran.

El caso es que tenía que regresar y don Lupe no dejaba de hablarme de mi contrincante:

"Se deja pegar como pendejo, pero no lo tiras por nada. Su jugada es cansarte hasta que te descuides y ahí te aplica una pinche madriza de nocaut."

Regresamos, con Ariadna junto a mí y yo al volante. Me sentía un padrote con el capote del Studebaker abajo, el aire despeinándome a mí, porque la planchadita de Ariadna traía una mascada bien chingona en el cuello.

Pinche coche, corría chingón, me sentía uno de los pilotos de la Panamericana, me cae.

Ya me cansé de escribir. Luego sigo.

No puedo seguir contando lo que pasó en el viaje de regreso porque estoy que me lleva la chingada. Otra vez pleito con Gavito y sus cuates en el negocio de pollos rostizados de Lamprus Kusulas.

Habíamos quedado de ir a tomar café y jugar un dominó, como todos los jueves. Llegó el antropólogo con su morralito sucio, el pinche matarratas ese que anda estudiando cómo duermen los putos roedores, Gavito y este boxeador retirado, galán de galanes, pues. El chiste es pasar una tarde agradable, sin hablar mucho, pero matando el tiempo. El güey del matarratas que se siente dizque muy de mundo, fue el que empezó la discusión. Me caga, el cabrón, con sus aires fufurufos y hablando de la pobreza como si la conociera, el pendejo.

Los pinches intelectuales son así, se creen las mentiras que leen en sus libros y se las dicen a sus alumnos que las escriben en sus cuadernitos y las repiten como pendejos en los exámenes. Para eso sirve la pinche universidad, es un lugar donde las mentiras se hacen verdades de tanto decirlas, no porque sucedan.

Lo peor es que luego a esos pendejos les dan trabajo al salir de las universidades y que otros más pendejos terminan dando clases, como los amigos de Gavito.

Sé que va a leer esto que escribo, pero igual lo dejo para que sepa que yo también pienso. En la cárcel, en el box, en la miseria he pensado. Son los tres mejores lugares para pensar. Y he viajado más y visto mucho más cosas que sus amigos que arreglan el puto mundo desde sus mesas de café.

Estoy verdaderamente encabronado.

La discusión empezó como todas las pláticas que se acaloran, por una pendejada. El antropólogo dijo que había que legalizar la droga, porque así se iban a dejar de hacer grandes fortunas a espaldas de la ley:

"Es como en la época de la Depresión en Estados Unidos, mientras estaba prohibido el alcohol se hicieron las grandes fortunas y las grandes mafias de Al Capone y sus amigos."

"Tienes razón, hay que legalizar todos los excesos", se cree chistoso Gavito.

"No es tan fácil, piensen en los daños neuronales", terció el matarratas, que sabe tres únicas verdades y las repite como los mandamientos: "Es como el box, mira cómo quedó nuestro amigo."

No podía quedarme callado:

"Para variar, no estoy de acuerdo con ustedes. Todo lo hacen simple. Y entonces es muy fácil opinar. Si legalizan la pinche droga, tiene razón el doctor, cualquier chamaco la puede comprar e ir inflando quién sabe cuántos años hasta que no sepa ni quién es."

"Se puede poner un límite de edad, como con el alcohol y el tabaco", dijo el antropólogo, siempre lógico.

"Para que los grandes se lo compren a los escuincles, como el alcohol y el tabaco. Ora que es cierto lo de las pinches mafias, ustedes ni se imaginan lo que se cuece dentro de esas organizaciones, ni de qué son capaces. La bronca de la droga es que se las vendemos a los gringos. Ellos la consumen, nosotros la exportamos. Si se legaliza pues ellos la producen y a la chingada toda la gente que vive de sembrarla, cortarla, procesarla, distribuirla."

"Pero dese cuenta de lo que está diciendo, maestro, ¿cree que se justifica la producción de la droga porque hay familias pobres que viven de ella?", me interrumpió el matarratas.

"Otra vez me cambian el tema, como siempre. Lo que estoy diciendo es más enredado. Y si la legalizan van a justificar, como usted dice, que la consuman."

"Se puede poner un límite", intentó contradecirme de nuevo.

"De acuerdo, pero los límites se rompen bien fácil. Si la legalizan, órale, pero de a deveras. Si no es hacerse güeyes todos."

"El problema de la droga es la corrupción política, son ellos los que han acabado con la seguridad, con la paz social, con la tranquilidad", dijo el antropólogo.

"Porque no es legal, y entonces permite grandes fortunas que compran voluntades hasta del más alto nivel", dijo Gavito.

Se me había subido la sangre a la cabeza:

"Nunca ha habido paz social, ni tranquilidad,

ni seguridad. Ustedes porque estudiaron, vivieron bien toda su vida, nunca pasaron hambres ni privaciones. Pero todos los días hay violencia en las calles. Aunque ustedes en sus casas, con sus libros y sus coches, no se den cuenta, hay hambre y pobreza, y eso conduce a robar y a chingarse al prójimo. Se llama instinto de sobrevivencia, ¿no, doctor?"

"Eres un resentido social" (me contestó el matarratas, enojado), "por eso siempre terminas cambiando nuestras charlas. Claro que hay pobreza y que hay mucha gente jodida en México y en el mundo y que hay hambre, y que la gente apenas y sobrevive en las calles. Pero hablamos hipotéticamente, especulábamos que sería mejor legalizar la droga. No es para tanto, ¿o sí? ¿Por qué enojarse con un simple comentario?"

"Baby, ¿de verdad estás enojado?", Gavito me preguntó, incrédulo.

"Pues claro. Llevo meses escuchándolos resolver los problemas del país desde este café, mientras juegan dominó. Yo no soy un resentido social. Tuve más dinero que el de todos ustedes juntos, viajé a más países, me he cogido más viejas. Bueno, hasta me he metido muchas más drogas que ustedes y aquí estoy para contarlo. Pero ustedes no oyen. Si escribiera un libro entonces sí dirían que tengo la razón."

"¿Pues no es lo que estás haciendo con el cuaderno que te regaló Gavito?", me preguntó el antropólogo.

"Ya casi lo termino. Pero no es un libro, son sólo mis ideas, mis pensamientos después de haber vivido todo eso. Y son para mí solito, para entender qué pedo, no para que unos pendejos las lean y las critiquen mientras leen La Jornada."

Gavito y yo perdimos, ni modo. No me podía concentrar en el juego, por eso dicen que el dominó es de mudos. Esos pinches sabihondos me chingaron diez pesos distrayéndome con su bla bla bla de la chingada.

Treceavo raund

Se me acabó el maldito cuaderno que me dio Gavito y tuve que ir a la papelería a comprar otro. Y se me acabó el pinche espacio del doceavo raund para transcribir, en el más puro estilo de don Lupe, mi estadística preferida: los doce mejores raunds de la historia del box.

Ya ni modo, ahora será en este treceavo asalto.

Sigo suscrito a The Ring y me llega a un apartadito postal. Cada año mando un cheque desde una casa de bolsa y me envían la revista, nomás que llega bien atrasada. Qué le vamos a hacer. La revista propuso su lista de los mejores doce raunds de la historia. Los voy a copiar para Gavito:

Dempsey-Firpo, primer raund (es el raund preferido de don Lupe).

Hagler-Hearns, primer raund, igual que el de Frazier-Quarry y el de Garza-Mesa.

Patterson-Johansson, tercera pelea, primer raund (yo les gané a los dos).

Benny Leonard-Ritchie Mitchel, primer raund.

Gómez-Pintor, tercer raund.

Foreman-Lyle, cuarto raund.

Saad-López, octavo raund.

Bowe-Holyfield, décimo raund.

Holmes-Norton, quinceavo raund.

Lamotta-Dauthille, quinceavo raund.

Yo le agregaría algunos, aunque no me atrevería a quitar ninguno porque no he visto todas las peleas ni en el cinebox de don Lupe:

Frazier-Ramos, primer raund.

Chávez-Taylor, primer raund.

Durán-De Jesús, tercer raund.

Hagler-Mugabi, sexto raund.

Leonard-Hagler, noveno raund.

Durán-Barkley, onceavo raund.

Soy demasiado modesto para incluirme, pero tengo para mí el primer raund Cifuentes-Johansson y el tercer raund Cifuentes-Kid Anáhuac como mis mejores.

¿Por qué toda esta reflexión sobre los raunds?

Debe ser porque si este cuaderno lo controlara la Asociación Mundial de Boxeo, ya hubiera terminado en el doce. Pero yo creo en las peleas de verdad, las de quince raunds.

Marvelous Marvin Haegler sigue siendo campeón para mí, no importa lo que haya hecho Sulaimán con su cinturón. The Ring publicó un estudio para desmentir a los que piensan que, agotados, los boxeadores pueden morir en los últimos dos asaltos. De cuatrocientas treinta y nueve peleas desde 1919 sólo cuatro muertes han ocurrido en esos tres últimos raunds. Yo sigo amando los quince raunds, que eran los buenos hasta 1983. A nadie se le ocurre quitarle un kilómetro a un maratón porque el estadio está más cerca o para que los corredores no se agoten. ¡Qué pendejada!

Así que seguiré tres raunds más, para intentar terminar mi historia.

Ariadna y yo salimos un lunes, muy temprano, de regreso a México. Estábamos como diez años más jóvenes y veníamos por la carretera a toda velocidad, chupando y fajándonos un poquito.

Yo bajaba la velocidad en las curvas y ella metía mano donde podía.

Nos íbamos riendo hasta de los pinches árboles.

Ciento veinte kilómetros por la Carretera Panamericana. Pasamos Chilpancigo como a las seis de la mañana, tenía que estar a las diez en el Jordán o si no don Lupe me hubiera colgado de los güevos.

Un pinche tráiler iba como tortuga en la subida. A Ariadna se le había contagiado mi pasión por cantar los comerciales: "Corriendo, corriendo la carrera ganaré con aceite 1, 2, 3."

Me imaginé a la pinche tortuguita cabrona rebasando a los autos de carreras. Siempre antes de un pinche accidente uno va haciendo o pensando una pendejadota.

No venía nadie en el otro carril.

Intenté rebasar al tráiler. El pendejo ha de haber venido dormido porque de pronto, sin decir agua va, giró las ruedas a la izquierda, sobre mi Studebaker rojo.

Le toqué el claxon.

Frené, olía a quemado. Eran las llantas.

Le volví a tocar el claxon, pero ya era muy tarde.

La caja del tráiler nos venía embistiendo poco a poco, prensando la carrocería bajo su estructura de peso pesado.

Ariadna gritaba, como si con sus pinches gritos el trailer se fuera a ir para otro lado.

Dejé de tocar el claxon y me puse a pensar.

Me vino a la mente una tarde con lluvia, platicando con don Goyo. Hablábamos de box, como siempre. Él me preguntaba si yo lo había visto pelear. Digo, era una pinche conversación imposible, yo no había nacido.

"No, abuelo", le dije.

"No chingues, Beto. ¿Nunca fuiste a la arena a verme? Serás malagradecido, pinche chamaco."

"Pero si yo no había nacido, don Goyo. Y usted que no me quiere contar."

"Es que el box me dio muchas satisfacciones, pero también muchas lágrimas, pinche Beto. Uno llega a lo más alto, ¿no? Y cree que ya chingó. Yo peleé con Jimmy Dundee dos veces, ¿sabías?"

"No, ¿pues no le digo que usted nunca me platica de sus peleas?"

"Pues sí, Beto. La primera vez me ganó el gringo en tres asaltos. Nocaut, para afuera, y eso que entonces las peleas sí eran de verdad, hasta siete horas duré peleando otra vez con un yucateco: ochenta raunds, creo. También peleé con Jim Smith, Black Diamond, en 1921. Era un negro de miedo, gigante, que había trabajado en circos. Y estaba mal de su cabeza, quería matar a todo el valiente que se subiera con él."

"¿Le ganó usted, don Goyo?", le pregunté.

"¿Qué pensabas, que tu abuelo era un maricón? Claro que le gané. Lo quemé en leña verde al negro. Fuera del ring era otra cosa. Los dos ayudamos a muchos chamacos en San Miguel. Pusimos un gimnasio pequeño, pero muy respetado."

"Así que usted fue socio de Black Diamond."

"El mismo que canta y baila al son del chárleston."

"Abuelo…"

"¿Qué se le ofrece, mi Beto?", se me acercó gordísimo, desparramándose del pantalón con tirantes, no llevaba camisa esa tarde y llovía. Mi abuelo estaba bien mojado, parecía un puercoespín cortado a la brosh y empapado.

"Tengo frío, abuelo, ¿no hay un sarape por ahí?"

"Pues sólo que se lo quite a Juan, desgraciado mantenido."

"Ándele, abuelo, a usted lo respeta el cabrón."

"Cuida tu boca o te la lavo con jabón, Beto."

Desapareció mi abuelo, clarito lo vi cómo se hacía invisible y yo ahí, tirado en el catre, muerto de frío, con fiebre.

"Los pollitos dicen pío, pío, pío, cuando tienen hambre, cuando tienen frío. Y los muertitos dicen Pep, Pep, Pep, cuando tienen sed."

Me cae que así escuché el comercial. La radio ha de haberse quedado prendida.

Cuánto habrá pasado, tres, seis, diez segundos a lo más.

Es increíble lo que puede ocurrir en diez segundos.

Estábamos abajo del pinche trailer. O yo, más bien, porque Ariadna ya nunca volvió a estar, chupó faros la cabrona: al doblarse la aleta de la ventanilla se le clavó como un cuchillo en el pecho.

No ha de haber sufrido, es mi consuelo.

Diez segundos que pasaron por su güera cabeza como un relámpago y luego a soñar con los pinches angelitos.

Yo también perdí el conocimiento. Poco antes, cuando ya me faltaba la respiración pensé que también había muerto.

Muerto pero feliz y bien cogido, todavía pensé.

Así pasan los accidentes, ¿no? Un pinche segundo de más o de menos y te lleva la chingada. Igual que en una pelea, si te descuidas, si le quitas la vista al culero que tienes enfrente no se va a andar con miramientos, va a tirar a matar.

Es chingón estar muerto, me cae.

O por lo menos creer que uno ya se petateó.

Se hace de noche y uno se siente bien feliz, cuelga los guantes, se retira.

No hay aplausos, pero no hace falta.

Es más cachondo morir en la intimidad, ¿no? Se hace oscuro como un túnel, y uno camina por él con lentitud, sin prisa, sin rencor.

Eso es lo mejor de todo, se acaba el pinche rencor.

Y después de caminar mucho hay una lucecita. Parece que te espera. Y vas a su encuentro, chingaos, ¿qué te queda ya?

Fue todo lo que pude ver antes de dormirme deveras.

Ya no hay mucho que decir. Desperté en un hospital de Iguala, la Cruz Roja o algo así, en una habitación donde había quince o veinte enfermos, casi todos heridos. A mi lado un hombre delgado al que le faltaba un brazo y una pierna: el izquierdo y la derecha, como guardando equilibrio.

Le pregunté qué le pasó. Todavía estaba borracho:

"Jugando con un compadre se nos acabó el pinche dinero y empezamos a apostar con nuestros cuerpos. Yo le chingué tres dedos y un pie."

"¿Y a usted por qué le arrancó todo el brazo?", ya ni para qué preguntarle por la pierna.

"Porque es bien pendejo mi compadre y no tiene puntería. O el cabrón me quería chingar. La verdad es que cuando me di cuenta ya me los había cortado. Le echábamos aguardiente a las pinches heridas para que cicatrizaran."

"¿Y le dolía?" No sé por qué hice esa pregunta, si a mí siempre me ha cagado que me pregunten si los golpes en el ring duelen. Pero ya estaba hecha.

"Al comienzo, mi joven, nomás al comienzo. Arde un chingo. Luego ni te das cuenta."

Parnassus siempre decía que eran tontos quienes desafiaban los designios de los dioses. Más que tontos, pendejos.

Lo decía por mí y por mi compañero de la izquierda, a quien ni le importaba haber perdido dos miembros.

"¿Qué le vamos a hacer?"

Y era cierto, ya ni llorar era bueno.

Una enfermera vieja y gorda me vino a tomar la temperatura. Le pregunté por Ariadna.

"No le puedo dar esa información, pregúntele al doctor."

"Se murió, ¿verdad?"

"Ahorita lo que usted tiene que hacer es descansar, jovencito", me dio una pastilla rosa que me durmió bien pronto. Me dolía el pecho. Se lo dije y ella: "Ya se le va a pasar. No se preocupe."

Todo mundo se proponía mantenerme drogado en los peores momentos de mi pinche vida.

Vi llegar a don Lupe y al Cajetas, pero ya no pude hablar con ellos. Creo que me saludaron, o que me regañaron, quién sabe.

Me quedé bien jetón.

¿Por qué pasan las cosas?

Digo, esa es la pregunta cabrona, la que uno debería contestarse en lugar de andarse con mamadas que ni aclaran ni resuelven nada.

¿Por qué pasan las cosas?

En mi vida he oído muchas respuestas a esa pinche pregunta. La más pendeja es la más repetida: por algo pasan las cosas. ¡Qué fácil! Los que contestan así casi siempre lo hacen cuando son las cosas de otros, no las suyas. Con lo que a ellos les pasa no pueden ni quieren preguntarse ni madres.

Y nunca podrían llenar esa pinche palabrita: algo.

¿El destino? ¿Un Dios allá arriba, preocupado por chingarse a sus criaturas cuando hacen alguna pendejada? No lo creo.

Pero tampoco puedo aceptar otra respuesta más que he oído: "Uno se labra su propia tumba." Si así fuera sería retefácil, ¿no? La pinche voluntad sería la causante de todos los triunfos y todas las derrotas.

No mamen, me cae. Si algo sabe el boxeador después de un tiempo es que hay dos cabrones dentro del cuadrilátero. Por mucha pasión que uno le ponga, ahí está el otro que también quiere lo suyo. Así en el Box como en la Vida. (Un título chingón para un libro, ¿no? Lo bueno es que yo no estoy escribiendo un libro. Por cierto que en la Antología de Máximas de Gavito hay una de Platón que me viene como anillo al dedo para callarle la boca a sus cuates intelectuales. La escribo: "¿Qué es un libro? Un libro parece, como un retrato, ser una criatura viviente, y sin embargo, si le preguntamos algo, no responde. Entonces nos percatamos de que está muerto.")

He escrito todos estos pinches apuntes pensando en encontrar respuestas y sobre todo en estar vivo. Porque sigo vivo es que sigo jodido y que no puedo dormir todas las noches con el pinche balazo de Marisol en la cabeza: a veces me meto dentro del agujero y veo sus sesos salpicados de sangre por dentro, reventados. Son las únicas veces que lloro, cuando sueño esas chingaderas.

Yo iba manejando rápido, de acuerdo, pero el otro pendejo se quedó dormido, se dio la pinche media vuelta y nos vino a embestir. Un segundo antes y no me pasa nada. Siempre he pensado que si hubiera ido incluso más rápido no me podría haber alcanzado. Así que no es cuestión de velocidad, ni de reflejos.

Es un asunto de dos voluntades que chocan y se joden la vida. Nomás.

Igual con Marisol. Yo me la estaba cogiendo, de acuerdo, aun a sabiendas de que tenía su palenque y que era muy chipocludo y todo eso. Pero de ahí a que yo provocara que se la chingaran y por ahí me quisieran meter en chirona para siempre, eso es otra cosa.

Mi voluntad y la de Tomás Chávez, chocando y jodiéndose la vida. Nomás.

La verdad es que yo tampoco sé por qué suceden las cosas, me cae.

Catorceavo raund

A joderse la vida, parecía que ese había sido el motivo del pinche viaje a Acapulco. Desperté para saber que Ariadna había muerto y que yo nunca más en mi chingada existencia iba a volver a pelear, al menos profesionalmente. Me había fracturado una pierna en treinta pedazos y me tenían que meter clavos y quién sabe qué otras pendejadas. Las dos costillas me tenían sin cuidado, soldarían solitas las cabronas.

Todavía cuando hace frío o llueve me duele la pierna de la chingada, es casi insoportable, como si te estuvieran martillando de nuevo.

Una ambulancia me llevó hasta México.

Entre la operación, la indemnización a la familia de Ariadna y el pago de derechos me quedé sin casi nada. Al pendejo chofer del tráiler no lo culparon.

Yo era el que iba pedo, así que yo tuve la culpa.

Y corrí con todos los pinches gastos.

¿No lo dije al principio? La culpa de todo en mi vida la han tenido las viejas. Ya me lo decía don Lupe desde el principio:

"Son ellas las que te van a enterrar, chamaco. A la mujer ni todo el amor, ni todo el dinero."

Guan, tu, tri, for...

Entra el piano del bar. Todo a oscuras.

Estoy en Nueva York, de nuevo. Ahora fregando pisos en un restaurante, Three Scalini, de un mexicano, Fernando Urroz. Queda cerca del Gleason's Gym, así que ahí voy cuando termina mi turno, a las seis de la tarde, a ver cómo se pegan otros cabrones. A nadie le digo quién soy, no quiero que se compadezcan de mi destino, ya bastante tuve con leer los pinches artículos sobre "La tragedia del boxeador más prometedor de México" y otras chingaderas del mismo calibre. Estoy en el restaurante desde las seis de la mañana hasta las seis de la tarde por ocho dólares a la semana.

Pero qué carajo, es 1965 y alcanza para ir sobreviviendo en la Gran Manzana.

Me siento bien, pocamadre, aunque aún un poco rengo. Pero si algo he aprendido en todos estos años es a jamás sentir pena de mí mismo. Nunca me he autocompadecido, aunque no sea por algo sino por alguien que suceden las cosas.

¿No?

Y no sólo no me interesa quejarme ahora, sino que deveras no estaba tan mal la cosa. Daba para comer, iba al Gleason's, veía boxear y dormía.

Unos amigos me conseguían mota, ron cubano baratísimo y me fumaba un carrujo con mi vaso de chupe todas las noches para dormir.

Las noches siempre han sido el pedo. Nomás me tiro a la cama si estoy perfectamente borracho y me duermo antes de tocar la almohada, o me entran las ganas de correr, me cae, me da un chingo de miedo.

Pienso que voy a soñar y eso me da un pinche pánico del carajo.

Hasta ahora que lo escribo me doy cuenta de que nunca me dio miedo subirme al ring. Era como pendejo, pues. Me trepaba. Don Lupe me decía algunas pendejadas del rival, me ponían la protección en el hocico y a darle vuelo a la hilacha.

A madrear pendejos para que no te madreen antes ellos.

Ese es todo el chiste: saber pegar y saber fintar. Tirar la piedra y esconder la mano, como se dice. Me cae.

Me voy a tragar unos tacos, me muero de hambre. Luego sigo con esta madre.

¿Dónde me quedé?

Es lo bueno de estas pinches libretas, uno va para atrás y revisa lo que ha dicho y puede retomar el hilo pocamadre, ¿no?

El miedo a dormirme empezó en Nueva York, no antes. Y ha durado desde entonces, salvo si me voy a dormir pedo, entonces ni me acuerdo y no pasa nada hasta que empieza la chingada pesadilla. Nunca logro dormir más de cinco horas seguidas antes del sobresalto, del sudor, del miedo.

Nueva York era divertido, más que ahora, lo que pasa es que tampoco me podía quedar toda la vida, tenía que regresar a cobrársela a Tomás Chávez tarde o temprano, cuando Sal Paleta me dijera que era el momento.

Estando en Nueva York supe de la muerte de don Lupe y ni siquiera pude ir a su entierro. Fui al

Mádrison, donde estuvimos muchas veces, como espectadores o en el ring, y le dediqué una oración. Luego le prendí una veladora en San Patricio y me dio por llorar. No era un llanto discreto, así, lagrimitas y nada más. No, me salían unos pinches gritos incontrolables y se me iba la respiración, como cuando lloran los recién nacidos que se ahogan y se ponen bien morados, así mismo chillaba yo pensando en don Lupe. Me acordé de lo que me decía: "Ya pórtese bien, chamaco, yo me voy a ir y quién lo va a cuidar. Usted no se sabe comportar bien solito, anda como barco sin ancla, dejándose llevar por la marea. A ver, ¿ya has pensado qué puede pasar si me muero?"

"Usted no se va a morir, don Lupe, si está bien enterito. Nos queda mánager para rato."

"Eso crees tú, pero el día menos pensado me carga el pintor y ya no voy a estar aquí para cuidarte. Eres como mi hijo, ¿sabes? Por eso me da mucho miedo dejarte solo. ¿Quién sabe dónde te meterías estando solo?"

Lo chistoso es que me llevó la chingada con él vivo y ahora sí me tenía que cuidar solito. La despedida antes de Nueva York había sido muy cabrona, como que yo no quería que me viera flaquear y entonces por parecer machito me vi muy mamón, deveras.

"No te vayas, Baby, vuélvete mi ayudante. Vas a ver que pronto conseguimos un muchacho y lo hacemos campeón, entre tú y yo", me decía.

"¿Y el Cajetas?"

"El Cajetas ya no puede ni con su alma. A qué te vas, quédate y ya verás que triunfaremos pronto y te recuperarás un poco del bolsillo."

"No, don Lupe, me salió esta oportunidad y la voy a tomar. Quién quita y así se me olvida todo un rato, ¿no cree?"

"No huyas, mi Baby, de nada va a servir que te vayas al culo del mundo, tus penas te van a seguir chingando. Y las penas con pan son menos, allá te vas a morir de hambre."

"Ya tomé una decisión don Lupe, no insista", le dije.

"Perdóname, chamaco, pero es que no me hago a la idea de que te vas a ir rengueando hasta el otro lado."

"No se mande, don Lupe. Ya ni la amuela. Mire que venirse a acordar precisamente ahorita de mi tragedia."

"Discúlpame mano. Pues ya ni modo, qué le vamos a hacer. Dios te bendiga."

Me hizo una cruz en el aire y me dio un besote en la frente, como si fuera mi papá, chingón el viejito.

Le di un abrazo y lo dejé solo, en el Jordán, viendo amateurs que se preparaban para los Guantes de Oro. Otra vez a empezar de cero, a intentar encontrar un prospecto que, como yo, llegaría pendejón y creyéndose el muy salsa y al que habría que bajarle los humos para hacerlo un peleador de verdad.

Me dio un chingo de tristeza don Lupe, como que ya no estaba para esos trotes. Así es el box, nunca te deja escapar, por más que lo intentes.

Tampoco es que piense que lo de Nueva York era un paraíso. Era sólo un lugar para esperar. Y la espera siempre es cabrona, siempre te va minando poco a poco, te va cansando, te quita todas las certezas, una por una te va sembrando pinches dudas en el corazón. Si antes te sentías capaz, la espera te deja jodido, una piltrafa, un fiambre, un bueno para nada que en el momento decisivo no va a poder ni siquiera disparar el arma.

La espera te vuelve miedoso.

No, si esos años no fueron dulces, tampoco. No los veo con romanticismo barato, de la XEW, como dice Gavito. Vivía en un barrio cabrón, donde tienes que ir siempre a la ofensiva, si no sueltas tú el primer madrazo, te chingan.

Si eres machín te respetan.

Es la pinche ley de la selva, ni más ni menos.

Entre prostitutas y travestis, latinos desempleados y sus hijos güevones, buenos para una chingada, entre contrabandistas y cuacos vulgares, drogadictos y borrachos de mierda, aprendices de enfermeros inyectándose heroína desde niños, nunca se está en paz.

Mucho menos cuando crees que estás en paz.

Entonces la noche se hace más negra, más fría. Te despiertas sudando, mojadas las pinches sábanas, y con la sensación clarita de que alguien viene persiguiéndote para matarte. No sé, pero da miedo. Y no debería, digo, esa bala al fin y al cabo sería como una salvación.

Pero a nadie le gusta sentir que lo van a matar. Y menos que no lo matan. Ya lo dije, la espera es la cosa más hija de la chingada que puede pasarle a un hombre.

Un día, como a los dos años de vivir en Nueva York, me habló el dueño del Three Scalini, quería ofrecerme una mejora:

"¿Cuánto tiempo piensas pasarte en la ciudad, Rigoberto?"

"No sé, don Fernando, un año, diez. Lo que haga falta."

"Falta, ¿para qué?"

"Nada, no me haga caso. Lo necesario, solamente. Ahora apenas sobrevivo, ya veremos más adelante."

Me ofreció ser ayudante del cantinero, mientras aprendía el oficio.

Y así estuve un tiempo, lavando las copas, conociendo cómo se hacen los cocteles. Es todo un arte, saber mezclar. Pero como todo en la vida, se aprende.

Una noche, se sentó una rubia hermosa cerca de donde estaba yo secando la barra. Como un metro ochenta medía esta güereja y llevaba un collar azul, como si fuera de perlas azules, que le hacía juego con sus ojos. Pensé que era difícil para alguien ver bien con los ojos tan claros, como transparentes.

Podría haber sido una cantante de vodevil que supo cuidarse para los años del retiro, o una viuda que se casó justo a tiempo con un ruco millonario que se le petateó ahí nomás, en la primera cogidita. Ni se le paró la verga al ruco, me cae. Y con lo hermosa de esa vieja fue una noche de desperdicio.

Me imaginé a la rubia apartando de una patada al millonario muerto y metiéndose mano, masturbándose ahí en la misma cama donde nunca se consumó el acto.

Otra frase de radionovela. Saby Kamalich es María.

Pero esta vieja estaba más buena que Saby Kamalich o que cualquier otra mujer que hubieran visto estos ojos que se tragarán los gusanos muy pronto (¿les sabrán ricos unos ojos golpeados sin misericordia en más de doscientos raunds profesionales?).

"Haz algo útil con tu vida, muchacho", me dijo colocándose una larga boquilla negra entre los labios. Le encendí el cigarrillo. ¡Qué bendición saber inglés!, pensé. Y qué bendición haberle hecho caso a Ku (¿así se escribirá el nombre del cantinero japonés?) o Koo, quién sabe, cuando me dijo que me comprara un encendedor Zippo.

Nada las vuelve más locas que unos trucos con el encendedor. El mío era dorado y dio dos vueltas antes de caer en mi mano, cerrado.

A la rubia no pareció importarle.

"¿No me vas a ofrecer un trago, mexicano?", me dijo.

Me puse rojo, según yo hablaba ya un buen inglés, pero la rubia me adivinó la nacionalidad por el acento, estaba seguro. Le pregunté qué quería tomar.

"Un ol fashon, espero que sepas hacer un ol fashon."

Luego se veía que la vieja tenía los ovarios bien puestos.

Se lo preparé con miedo, siguiendo el librito mental que un cantinero se va haciendo de las recetas. A veces se le confunden las cantidades o el orden de combinación. Pero esta vez estuve muy atento en el coctel de la rubia.

Siempre me han excitado las mujeres que fuman (bueno, menos Sara García, que nació viejita la pobre). Se me estaba parando con la rubia y eso no me gustaba. Me gusta controlar al animal, no que ande haciendo lo que quiere.

Le di el ol fashon y la mujer me tendió un billete.

"Aquí sí saben preparar bebidas, Baby."

Sentí escalofrío, aunque la vieja no sabía quién era, lo había dicho por puro cachonda, juntando los labios para que se me parara más.

Dejó los labios marcados en la copa como una huella de lo hembra y lo buena y lo caliente que era.

Se me quedaba viendo bien feo, yo le desviaba la mirada y no sabía qué hacer. Me puse a limpiar la barra.

"¿No sabes que es de mala educación no atender a tus clientes?"

"¿Se le ofrece algo más?", pregunté nervioso.

"Que me veas, que platiques conmigo. ¿Te doy miedo?"

Yo me sentía muy macho, pero la vieja me desarmaba. Nunca me había pasado que una mujer me dejara mudo, como pendejo.

"No, señorita, ¿qué quiere de mí?", le dije en mi mejor inglés.

No sé por qué le dije eso. Fue lo que me salió del alma, como si fuera su criado.

"¿A qué hora sales?", me preguntó.

"A las seis." Le había pedido a don Fernando Urroz que no me cambiara el turno, para poder seguir yendo al Gleason's. Así que me tocaba atender la barra a la hora de la comida con los primeros clientes de la tarde. Luego me pintaba de azul.

"Mi chofer pasará por ti, no pierdas tiempo. El tiempo es lo único que no se compra. ¿Tienes almejas?"

Fui a la cocina por un plato de litelneks y se lo traje.

"No sirven, ¿esta es la manera en que le sirves a una amiga? Quiero cherrystons, almejas de verdad, no estas bromas baratas."

Se las cambié, aunque tardaron unos quince minutos.

Les rociaba ol fashon y sorbía el líquido y el animal. Varias veces el chorro de alcohol le rodó por la mejilla, hasta el cuello, pero siempre se lo limpió a tiempo, con caché, antes de que tocara su vestido azul marino, como el collar.

Cuando acabó dejó un billete de cincuenta dólares sin molestarse por preguntar su cuenta y me amenazó:

"No me gustan los hombres cobardes, como te habrás dado cuenta. No faltes a tu cita."

Don Lupe me hubiera matado de verme subir en la limusina dos horas después. Un negro que hubiera podido ser carnicero, pero no peso pesado, me abrió la puerta trasera:

"Tu debes ser el mexicano", me dijo a modo de saludo.

No había aprendido la lección, ¿verdad? Ahí estaba, dentro de una limusina rumbo a quién sabe dónde, con un negro que no me hablaba y había puesto una música muy sabrosa y me ofrecía:

"Sírvase un güiski, lo va a necesitar al rato."

No sabía si reír o llorar, pero ya estaba hecho, ora ni modo de rajarse.

El negro me llevó a una especie de granja abandonada, me señaló con el brazo que era adentro donde me esperaban, y como en las películas cruzó los brazos y se quedó al lado de la lanchota blanca. Saben esperar los pinches negros, me cae. Un día se van a hartar y se van a coger y a pasar por las armas a todos los blanquitos que los hicieron esperar tantos siglos. Pero éste se quedó tranquilo, con cara de no digas nada porque te corto en quince pedacitos, hijo de puta.

Entré al establo. Un foco colgaba de las vigas de madera y se tambaleaba como si él también tuviera miedo. Pensé que no había nadie.

"Cámbiate de ropa, ahí está tu disfraz. No me hagas esperar, por favor", me ordenó la mujer. No podía verla.

Me puse un pantalón de cuero negro, unas botas y una camisa de seda, también negra. Todo me quedaba como si la mujer me hubiera medido las tallas.

"¿A dónde me dirijo?"

"Ponte el antifaz también."

Estaba en una silla y tenía un látigo en la mano y unas esposas plateadas. Me dio miedo y retrocedí:

"No seas imbécil, te va a gustar. Además no puedes dejarme sola, Derek tiene instrucciones de no dejarte ir hasta que yo quiera, ¿me entiendes?"

Algo en sus órdenes me excitaba, así que dejé de pensar. Me puse el puto antifaz y fui hacia la silla.

Me pidió que la esposara a una viga de madera y que la desvistiera.

"Arráncame la ropa."

Le rompí la blusa.

"Más fuerte, ¿o qué, eres un maricón? Dame, macho."

Cuando estuvo desnuda me pidió que la golpeara con el látigo. Lo hice despacio, con temor a lastimarla. Me volvió a pedir que lo hiciera más fuerte la pinche puta. Si las gringas están mal del coco, me cae. Le besaba las tetas, le metía los dedos por todos lados y le pegaba cada vez más fuerte. La piel se le estaba poniendo muy roja y gritaba de dolor.

"Quítame estas pinches esposas", me pidió. Y ya liberada le metió la mejor mamada a mi verga. Pasaba la lengua, mordía, chupaba. Tomó el látigo y me dio en la espalda.

"Eres un perro, ponte en el suelo, como el perro que eres, vamos."

La obedecía a golpes, aunque la neta quería tirarla a la paja y metérsela hasta que le doliera el pinche estómago. Me pidió que le lamiera los pies.

"Eres un perro, oríname", me dijo tumbándose en el suelo. Pensé que había oído mal, pero lo repitió varias veces hasta que la mojé todita. La quería toda para ella y me la volvió a mamar.

Luego se agachó en la silla y me pidió que la volviera a golpear. Estaba bien orate. Le estuve dando como cinco minutos y juro que se vino más de dos veces con los golpes.

La voltié y quise penetrarla.

"No, macho, sexo no. Nada de eso. Estuvo bien por hoy. Vete ya."

Se vistió y me pidió que me largara.

El chofer me dio cien dólares antes de que me subiera a la limusina y me preguntó mi dirección. En el camino tuve que hacerme una chaqueta que ensució todo el asiento de la pinche gringa loca.

Nunca volvió al bar.

Nada así de recordable me ocurrió ni antes ni después. Digo, lo de siempre: viejas, mariguana, ron. Y los días y las noches que vienen y van los muy culeros.

Cuando ya estaba seguro de que nunca me iba a hablar Sal Paleta, llegó un telegrama:

Ven. Punto. Todo está listo. Punto. Te necesitamos ya. Punto. Cuando llegues al pueblo pregunta por Herminio Leyva. Punto. No vayas a mi casa. Punto. Te espero. Punto.

No había nada que recoger, ni maletas que hacer, ni mujeres de las que despedirse. Es lo bueno de no tener nada ni nadie. Te vas como llegaste. Ni siquiera me despedí de don Fernando.

Había llegado la tan esperada hora de la venganza. Hijo de la chingada, me sentía más fuerte y más joven que nunca.

Tenía mis ahorros, todavía los tengo, por si acaso, yo no voy nunca a andar pidiendo limosna o muriéndome en la calle. Cuando llegue el momento, a un hospital decentito y toda la cosa. Tomé un vuelo a la Ciudad de México esa misma noche.

Se cerraba un capítulo de mi vida que fácilmente podía olvidar.

¿O no?

Último raund

Una de las frasecillas célebres del libro de Gavito, esta de un tal De Quincey, me cae de perlas para empezar este último raund: "La gente empieza a darse cuenta de que en la composición de un bello crimen intervienen algo más que dos imbéciles, uno que mata y otro que es asesinado."

Lo que he dicho prueba la verdad de sus palabras, contundente como un buen óper, aunque falta lo peor, ¿o no?

¿Qué piensa un hombre que ha esperado más de diez años para saber la verdad, para vengarse? ¿Piensa en algo? Claro que piensa, el pendejo, pero no piensa en cine, sino en fotografía. ¿Me explico? No piensa con movimiento, no piensa así las ideas, una junto a la otra, como en filita. Ni tampoco en cámara lenta, no. No es que le vaya pasando la vida poco a poco como en un pinche documental. Es que ve fotos, puras pinches fotos.

Imágenes quietas, fijas, detenidas, tiesas, muertas. Y las va pasando, una tras otra. No hay más de seis. Así que las repite, porque pasan muchas horas. Un chingo de horas barajando las seis imágenes como si fueran cartas de póquer. A ver cuál sale, ¿no?

Otra vez la misma.

Y entonces el que regresa, que antes era el que esperaba, la estudia, la revisa, la manosea, le da vueltas a la hija de la chingada hasta que se la aprende de memoria. Hasta que no hay un detalle de la pinche foto que no pueda repetir.

Porque el puto olvido no existe para el que regresa, que antes era el que esperaba.

La primera visión, la que más veces volvió en todas esas horas, fue la misma de la pesadilla: la cara de Marisol. Los ojos bien abiertos, como queriendo llevarse a la tumba la imagen de su asesino, la boca abierta con el chorro de sangre, el agujero en la frente por donde entra una pinche rata. Lo peor eran los ojos, llenos de susto, como si hubiera visto al pinche diablo antes de petatearse.

A veces en las pesadillas se levantaba, así bien muerta, con el agujerote y me ofrecía un pinche jaibol o quería bailar conmigo. Más me asustaba verla bien muerta y diciéndome cosas bonitas.

Porque con Marisol fue otro pedo, no nada más coger y mañana no me acuerdo. No, si me lo dijo bien claro esa noche:

"Me encantas Baby, siempre te estaré agradecida: tú viniste a salvarme."

Si hubiera sabido, no habría dicho esa pendejadota. ¡Qué salvarla ni qué mis güevos!

Pero ahora no habla, ni se mueve. La foto está paralizada, congelada, engarrotada. Me dan unas pinches y horribles ganas de llorar cuando vuelvo a ver la cara de Marisol y me pienso drogado, jodido, en blanco, sin saber qué ocurrió.

Eso es lo peor, la duda del que regresa y antes era el que esperaba.

En el viaje de regreso, no sé por qué, la cara tenía una mosca, hija de la chingada, jodiéndola. Y ni modo que le diera un manotazo. Así que es lo único que se mueve, la pinche mosca. Saborea la sangre, se mete en la boca, da un vuelo de exploración (¡la oigo zumbar a la pendeja!) y sale, mareada. Se queda en la nariz un ratote, como si le hubiera gustado la chatita nariz de Marisol. Pero luego se mete en el agujero de la cabeza. Luego ya no la oigo, se habrá muerto, se habrá ahogado con la sangre, con los pinches sesos.

Me sacudo la cabeza para sacarme la foto esa. Y bebo otro trago de güiski, lo único bueno que tienen los aviones. Me cago siempre que aterrizan y que despegan. Pinche miedo culero. Esta vez me tomé muchos tragos en la sala de espera, así que subí borracho y ni cuenta me di cuando empezamos a volar.

En algún momento la ciudad fue sólo un chingo de foquitos allá abajo. Y nada más. Entonces vino la otra foto. Marisol desnuda, aplastada casi sobre el vidrio de la mesa de centro aspirando la coca y el pendejo de Chávez atrás, con la pistola.

Hay veces que las viejas desnudas dan pena, que están como jodidas, como indefensas, como que se las van a chingar. No le paran la verga a nadie cuando están así, y dan un chingo de lástima. Hasta las tetas se les ven feas, caídas, flojas, como de perra recién parida. Así está Marisol en la imagen, en cuatro patas sobre la alfombra de pelo de llama dizque del Perú que tanto me presumió Chávez.

Le dejó los zapatos puestos, pero está desnuda como perra olfateando la droga. Quieta, como si ya hubiera muerto desde que aspiró la primera línea.

Chávez tiene la boca abierta en esa foto de mi memoria, se está riendo el muy cabrón. Se le ven los dientes de caballo, uno de oro que brilla. No sé por qué pienso que le ha de haber olido feo la boca. Es un güey que tiene sonrisa de mal aliento, de caño. La mano derecha es la que lleva la pistola. Tiene un anillo como de árabe: grandote y con una piedra roja y usa esa uña del dedo más larga. Siempre me han cagado los hombres con las uñas largas, me parecen sospechosos aunque no sepa de qué. Chávez está lleno de cadenas de oro, esclavas, como si quisiera decirle a todo el mundo que él tiene billete y poder, que puede comprar lo que se le hinchen los güevos, hasta la voluntad de presidentes, primeros ministros y procuradores. Se los pasa por el arco del triunfo, está diciendo en esa foto. Igual que a ti, Baby. Porque está apuntándole a las nalgas abiertas de Marisol pero me está viendo a mí.

"Todos son unos perros para mí, y como tales los trato", me dice con los ojos y luego casi me grita nomás de verme: "Vas tú, no te hagas pendejo. Ahora te toca a ti."

Cierro los ojos, todo se pone negro. Se va la foto, a la chingada.

Ya volverá.

La aeromoza me trae de cenar. Flaquita, pelirroja, pecosa. No tiene chichis ni culo, un error, la pobre vieja. Le digo que gracias pero se hace la que no me oye. Siempre me ha cagado la gente que hace eso, entonces le grito:

"Sorda, otro güiski, por favor", le digo alzando la voz, sé que me va a oír y que no se va a atrever a contestarme.

Es la última vez que viajo en avión, eso lo sé. Y más en primera clase. Para eso ahorré, ¿no? Para regresar a chingarme a Tomás Chávez en primera clase, leyendo una revista cara, Cigar, por ejemplo, aunque nunca haya fumado puros, se me hacen de mamones.

Tomo un trago y como un filete con papas calientito. Entonces me doy cuenta de que hace años que no disfruto una comida así, con chupe, tranquilito. Como magnate, con la servilleta en las piernas como me enseñó don Lupe en el primer viaje a la Gran Manzana. ¡Cuántas pinches pendejadas han pasado desde entonces!

Aparece otra foto. Ahora soy yo, con el pantalón abajo y la pistola de Chávez en la cabeza. Es bueno poderse ver desde fuera. Estoy que me cago de miedo y no puedo hacer nada con la verga que no sea verla colgada como pinche trapo. Chávez me golpea con la cacha de la pistola y me obliga a aspirar coca, eso lo sé. Pero en la foto nadie se mueve. Todos estamos quietos, esperando. ¿A qué? A que jale el gatillo, por supuesto.

Es lo que uno siempre piensa cuando un pendejo tiene una pistola frente a ti y te amenaza con dispararte si no haces algo que te ordena. Piensas que se va a poner nervioso y que va a jalar el pinche gatillo sin darse cuenta, casi por error, y entonces ya valiste.

Me dormí una siesta, tal vez por lo borracho, que ha de haber durado como unas dos horas del vuelo. Ya me habían quitado la charola con la comida y me habían puesto una manta azul para el frío.

"Acomedida la pinche pecosita, después de todo", pensé al despertarme y ver que había rellenado mi trago y que un güiski nuevecito y frío, con los hielos todavía navegando como peces en su río de oro, me estaba esperando.

(Como que ya me estoy volviendo bueno en estos asuntos de la poesía. Me quedó chingona la frasecilla, ¿no?)

Pero entonces viene otra imagen:

Estoy drogado y dos hombres me cargan. El más alto de los sobacos y el otro de los pies. Quiero moverme pero estoy muy apendejado por lo que me inyectó el padrote. En el suelo, tirada y llorando, con las manos en la cara protegiéndose, Marisol.

Chávez está arrodillado y se ve que le dio una pinche cachetada, porque todavía tiene la mano abierta y de la boca de Marisol sale un hilito de sangre, como si fuera una mujer vampira de película del Santo después de darse un atracón con un pobre pendejo que le prestó su cuello.

Nomás que aquí ella fue la madreada. Entonces sí fueron los hijos de la chingada de los guaruras de Chávez. Me están cargando para sacarme de la casa y mientras el semental venido a potrillo de leche le está propinando santa madriza a su vieja.

Tal vez él mismo la mató cuando me sacaron y luego ordenó a los hombres que la llevaran conmigo y que a ver cómo le hacían pero yo tenía que parecer el culpable.

Veo bien la foto, la tengo en el cerebro todo el tiempo. Me la puedo aprender de memoria. Hasta entonces me doy cuenta, pendejo, la pistola que tiene Chávez en la otra mano, con la que me pegó, con la que nos amenazó, es la misma que estaba en la cama del motel cuando desperté del viaje de heroína y quién sabe qué madres más que me metieron.

Las imágenes se fueron alternando todo el vuelo. Pero no era sólo llegar hasta la Ciudad de México, todavía me faltaba tomar un taxi a la terminal de autobuses y tomar tres para llegar al pueblo de la Sierra Norte donde Salomón Paleta Paleta tenía su cuartel general y sus plantaciones clandestinas de las que todo mundo sabía, así es el asunto del narcotráfico.

Me quedaban siete horas de camino. Tenía que seguir viendo el pinche álbum de fotos que se me había grabado en la cabeza. No voy a decir las veces que se me volvieron a aparecer las mismas imágenes porque me da mucha flojera y se gasta el papel. Sólo diré que un chingo de veces, en todas las combinaciones posibles, se me fueron apareciendo las hijas de la chingada para no dejarme descansar ni un momento.

Es que el que regresa y antes era el que esperaba no puede descansar, no le está dado descansar.

Otra foto para el recuerdo. Me da risa, qué bueno que ahora me puede dar risa. Serán los años y que uno se vuelve bien maricón de viejo, le da por llorar con cualquier madre. Hasta chilla uno nomás de acordarse de cosas bonitas, qué pendejo, me cae.

Otra foto, decía. Ahora en el coche. No hablamos. Yo no puedo, no me sale la voz aunque intento decirle a Marisol que la quiero, que no se preocupe, que vamos a salir de esta, pero no puedo juntar palabra. Ella va adelante, con el guarura que maneja y sí es un Chevrolet 51, negro, pocamadre la nave.

Yo voy atrás con el otro, para cuidarme, aunque bien sabe que no puedo moverme.

No alcanzo a ver si Marisol está muerta, pero tampoco habla, ni se mueve. Nadie se mueve, carajo, en estas fotos.

No está manchada de sangre. Al menos desde atrás no se ve manchada. Sólo alcanzo a verle la nuca, los hombros desnudos, el pelo despeinado, las orejitas que tanto me gustaba morderle:

"Ay, Baby, eso sí no, no me hagas que me pongo nerviosa, ay, deveras, ay, se me pone la carne de gallina, ¿ves?, ya estoy chinita. No sigas, Baby, que me dan cosquillas, deveras, nene, ya párale, mejor muérdeme otra cosa."

Pero no le muerdo la oreja, nomás se la veo, si no puedo mover ni un músculo. Los guaruras hablan, pero no oigo lo que dicen. Tienen las bocas abiertas como si estuvieran diciendo algo pero no puedo escucharlos, carajo.

Es que las fotos también son mudas.

Y entonces el que regresa y que antes era el que esperaba se da cuenta de que si no está muerta Marisol está dormida, porque hay otra foto en que el chofer la está deteniendo con la mano, el cuerpo como de trapo que se le viene encima. El de atrás le ayuda, la intenta jalar, se ve clarito. Están congelados, cuántas veces más voy a escribirlo, pero se ve que ese movimiento era el que estaban haciendo los pendejos.

El último camión al que me subí era un pinche guajolotero, de esos que paran en cada pinche pueblo, o en cada pinche curva. Guacarié dos veces la cena del avión y un sangüichito que me compré en la terminal. Lo bueno es que tenía la bolsa de papel y ahí eché todo. Olía a rayos. Luego lo tiré por la ventana, antes de que algún otro de los usuarios (me encanta la palabra, Señor Usuario, pase para atrás, no escupa, todos los pinches escuincles de mierda pagan y un montón de etcéteras entre los que no puede faltar el Cuídame Virgencita).

Daba tumbos y saltaba como si el camión y no el chofer viniera pedo, quién sabe qué le pusieron en la gasolina. Me da por pensar chistes o pendejadas cuando estoy cerca de algo muy cabrón. Por eso digo pura pinche tontería ahorita que lo escribo y lo recuerdo, ahorita que soy el que recuerda y no el que regresa y que antes fue el que esperaba.

Me bajé del camión y caminé todavía como media hora hasta el lugar donde tenía que preguntar por Herminio Leyva, nombre como de matón.

"Lo estábamos esperando, mi Baby."

Estaba solito el güey. Pensé: "¿Tú y cuántos más, pendejo?", pero no se lo dije.

"Gracias. ¿Está muy lejos donde vamos?"

"Acá tras lomita, campeón. Pero en el macho no va a sentir nada. Súbase, pues."

Cada vez estaba más cerca de Tomás Chávez, podía ver su cara muriéndose de miedo, sabiendo a qué iba yo por él, los años aguardando ese momento, ese pinche minuto de mierda en que clavaría mis ojos en los suyos y le diría, nomás con verlo:

"Te vas a morir, hijo de la chingada. Pero nomás que tú sí lo vas a ver todo y te va a doler como el carajo, Tomasito, te va a llevar patas de hilacha pero antes me suplicarás que te deje, desearás no haber nacido, hijo de tu puta madre que te parió cagando y repegada en la pared."

Hacía frío y yo hacía un chingo que no montaba a caballo. O a mula, para el caso es lo mismo.

Montamos como media hora hasta llegar a un pinche bosque bien tupido, nada que no fueran pinos y más pinos. El lugar ideal, pensé, para el refugio de Sal. En medio de toda esa espesura del demonio había una pinche cabañita jodida que ni siquiera se veía, salvo por una luz que se dejaba ver por la ventana:

"Es ahí, campeón. Ahí lo está esperando mi comandante Paleta", así que el buen Sal se hacía llamar comandante, mira qué cagado.

Llegamos y dos hombres se quitaron de la puerta para dejarnos pasar. Estaban armados hasta los dientes. Uno de ellos no tenía un ojo. ¿Era el izquierdo? Ya no me acuerdo. No lo sé, esos pinches detalles se me escapan.

"Al fin, mi prófugo del cuadrilátero, al fin nos volvemos a ver", me dijo.

"Es un gustazo mi Sal", le contesté y nos dimos un abrazo de hermanos que no se han visto en un chingo de años, como esos programas de televisión que los juntan después de como veinte años y chillan los muy putos.

Nosotros no chillamos, pero casi.

"Aquí te lo tengo, mi buen Rigoberto. Listo para que te lo chingues como quieras. Tú decides: quemarlo vivo, meterle la verga, marcarlo como pinche vaca hasta que se muera de dolor, ahogarlo."

"¿Dónde está?", porque el que regresa y antes era el que esperaba puede sentir miedo de estar tan cerca de su venganza, ¿no? Tiene derecho.

"Acá abajo. Tengo un sotanito con los aparatos de comunicación. Ahí está amarrado, ha de oler a mierda, en algún lugar tiene un hombre que cagar, ¿no crees?"

"¿Desde cuándo?"

"Una semana. Fue como una especie de trueque entre bandas. El pendejo llevaba años haciéndose el cabrón y pasándose de salsa. Yo tenía un prisionero del Cártel del Golfo, como le dicen y lo catafixié, como diría Chabelo, por este pendejo. ¿Cómo ves? Te lo prometí y siempre cumplo, ¿o no, Baby?"

"¿Lo has visto?"

"El primer día, cuando lo trajeron. Entonces empecé a meterle la espina. Nomás le dije que si se acordaba del Baby Cifuentes, el campeón, que ya pronto lo vería de nuevo. Se asustó el güey, me cae."

"Sabe que me la debe, el pinche puñal."

"Eso mero, así me gusta mi soldado. Siempre fuiste bien macho, cabrón, quién te viera arriba del ring chingando negritos, güeritos, chinitos. Te fregaste a toda la ONU, ojete."

Se rió de su pinche chiste.

Luego volvió a la carga:

"Aquí mi lugarteniente es quien lo ha atendido", el lugarteniente era un güero de rancho, gordo y con los pelos necios que tenía la mirada sin vida de los locos o de los drogados: "Hace día y medio que no le damos de comer y sólo le pusimos un pocillo de agua. Con este te has de morir, le dijimos, así que velo racionando para que no se te seque tu lengua de víbora."

Volvió a reírse como pendejo.

"Aquí mi lugarteniente le dio sus quemaditas con cigarro para que empezara a cantar, pero nomás poquito. No te enojes, cabrón, sólo quería ablandártelo un poquito, para que te ruegue, para que te suplique que no te lo chingues. ¿No quieres verlo así, humillado?"

Bajé al sótano, solo. Era yo quien tenía que terminar la pinche historia.

Pero el que regresa y antes era el que esperaba puede quedarse esperando toda la pinche eternidad, me cae. Lo que quedaba de Tomás Chávez era demasiado poco, casi irreconocible, pensé. Luego fui a su encuentro, amarrado de una silla, le tiré un vaso de agua en la cara, para hacerlo reaccionar, esperaba que al abrir los ojos me enfrentara con la misma valentía de aquella ocasión en su casa. Pero no.

Tomás Chávez, el muy puto, se orinó en los pantalones al verme. Por un momento pensé en dejarlo así, como la máxima venganza. Pero me dio pena el güey. Entonces, con compasión, me cae, le apreté el cuello. No me costó trabajo, no hubo lucha alguna, se me fue de las manos y luego, no sé por qué, lo colgué de una viga con sus propios pantalones mojados. Le miré los ojos, vidriosos, que no me agradecían el gesto: como si quisiera decirme que hasta en la muerte era muy macho y se acordaba de Marisol.

Subí.

"¿Qué pasó?", me dijo Salomón Paleta, aunque ya lo sabía todo al ver mi expresión.

"Se les ahorcó, si serán pendejos", mentí.

Ya no tenía caso regresarse a Nueva York. Entonces se me ocurrió irme a la capital a bolear zapatos y a seguir esperando. No sé, fue como una ráfaga de inspiración (¿así se dirá?), una pinche revelación que me dijo que ese era mi destino, que ahí nadie me molestaría ni estaría acordándose todo el pinche día de mí, del box.

Así tal vez yo también podría olvidarme de Marisol o de Tomás Chávez. Olvidarme, la mera neta, de mí.

Ya estaba harto de Baby Cifuentes. Me daba mucha güeva, deveras, seguir viviendo conmigo.

Hasta que llegó Gavito y su chingada manía de preguntar. Hoy voy a regresarle el librote azul, su Iliada, no hay quién la lea, me cae. Al fin que ya copié lo único que habla de box.

Le voy a llevar también el cuaderno, para que lea mi último raund. Qué le vamos a hacer, para algo lo escribí, ¿no?

¿Es el final?

No, no es el final.

Como decía don Lupe: "Esto no termina hasta que termina."